COMO
FLECHAS

LUCIANO & KELLY SUBIRÁ

COMO FLECHAS

PREPARANDO E PROJETANDO OS FILHOS PARA O PROPÓSITO DIVINO

Vida

Editora Vida
Rua Conde de Sarzedas, 246 — Liberdade
CEP 01512-070 — São Paulo, SP
Tel.: 0 xx 11 2618 7000
atendimento@editoravida.com.br
www.editoravida.com.br
@editora_vida /editoravida

COMO FLECHAS
©2021, Luciano & Kelly Subirá

Todos os direitos desta edição em língua portuguesa reservados e protegidos por Editora Vida pela Lei 9.610, de 19/02/1998.

É proibida a reprodução desta obra por quaisquer meios (físicos, eletrônicos ou digitais), salvo em breves citações, com indicação da fonte.

▪

Exceto em caso de indicação em contrário, todas as citações bíblicas foram extraídas de *Nova Almeida Atualizada*, NAA
©2017, Sociedade Bíblica do Brasil,
Todos os direitos reservados.

Todas as citações bíblicas e de terceiros foram adaptadas segundo o Acordo Ortográfico da Língua Portuguesa, assinado em 1990, em vigor desde janeiro de 2009.

▪

Editor responsável: Gisele Romão da Cruz
Editor-assistente: Amanda Santos
Preparação: Magno Paganelli
Revisão de provas: Sônia Freire Lula Almeida
Diagramação: Claudia Fatel Lino
Capa: Rafael Brum

As opiniões expressas nesta obra refletem o ponto de vista de seus autores e não são necessariamente equivalentes às da Editora Vida ou de sua equipe editorial.

Os nomes das pessoas citadas na obra foram alterados nos casos em que poderia surgir alguma situação embaraçosa.

Todos os grifos são do autor, exceto indicação em contrário.

1. edição: maio 2021
1. reimp.: maio 2021
2. reimp.: out. 2021
3. reimp.: maio 2021
4. reimp.: maio 2021
5. reimp.: mar. 2023
6. reimp.: mar. 2024

Dados Internacionais de Catalogação na Publicação (CIP)
(Câmara Brasileira do Livro, SP, Brasil)

Subirá, Luciano
  Como flechas / Luciano Subirá e Kelly Subirá. -- São Paulo : Editora Vida, 2021.

  ISBN 978-65-5584-195-4
  e-ISBN 978-65-5584-222-7

  1. Cristianismo 2. Criação de filhos - Aspectos religiosos - Cristianismo 3. Educação de filhos - Aspectos religiosos - Cristianismo 4. Família - Aspectos religiosos 5. Pais e filhos - Aspectos religiosos - Cristianismo I. Subirá, Kelly. II. Título.

21-56489   CDD-248.845

Índices para catálogo sistemático:
1. Pais e filhos : Orientações de vida cristã 248.845
Cibele Maria Dias - Bibliotecária - CRB-8/9427

DEDICATÓRIA

Dedicamos esta obra, primeiramente, aos nossos filhos, *Israel* e *Lissa*, que escolheram corresponder ao que lhes ensinamos e se tornaram adultos exemplares. Vocês são prova viva da aplicação prática das verdades que agora ensinamos a outros pais. Que a vida de vocês continue a glorificar a Deus em todo tempo!

A *Aela Maria* e *Fineas John*, nossos primeiros netos, e, juntamente com eles, a toda nossa futura linhagem. Oramos para que cada um de nossos descendentes siga trilhando esses mesmos princípios na criação dos seus filhos e, desse modo, perpetuem a transmissão da fé e da aliança com Deus para as gerações vindouras.

SUMÁRIO

Prefácio por Israel Subirá   9

Prefácio por Lissa Subirá   11

Introdução   13

1 A alegoria das flechas   19

PARTE 1 – DESTINO

2 O alvo principal   29

3 Danos da omissão   41

4 O alvo personalizado   55

5 Responsabilidade dos pais   67

PARTE 2 – PREPARAÇÃO

6 O processo de amadurecimento   85

7 A educação   105

8 Ensinando pelo exemplo   123

9 A disciplina   141

10 Danos da falta de correção   155

PARTE 3 – TEMPO

11 O tempo da aljava   167

12 Investindo nas memórias   183

13 A bênção dos pais   207

Conclusão: E agora, o que fazer?   229

PREFÁCIO

A Bíblia diz que "Coroa dos velhos são os filhos dos filhos; e a glória dos filhos são os pais" (Provérbios 17.6). Eu, com o coração cheio de alegria, posso dizer que não poderia ter mais orgulho de meus pais e gratidão por tudo o que me proporcionaram.

A educação que recebi de meus pais foi o maior presente que eles me deram. Eu não estaria vivendo nenhuma das maravilhosas coisas que tenho experimentado em Deus se não fosse pelo precioso ensino que eles depositaram em minha vida. Começando pelo temor e amor ao Senhor, e também pelo zelo para com sua Palavra, que fundamentam tantos princípios importantes para uma caminhada íntegra e dirigida por propósitos em nossos dias terrenos.

Posso afirmar que o que mais me marcou não foram somente as palavras de sabedoria que ouvi, mas as atitudes que as seguiam. Aquilo que fazemos tem um peso tão importante quanto aquilo que dizemos, senão maior. Minha irmã e eu não experimentamos aquele tipo de diálogo incoerente, de alguém que é rico em palavras, mas escasso em atitudes; muito pelo contrário. Percebemos cedo que nossos pais viviam de acordo com aquilo que criam e ensinavam.

Além dessa coerência, havia ainda o interesse legítimo, o amor e a dedicação visíveis. Tudo isso despertou meu coração para a importância do que meus pais tinham a me ensinar. Eu nunca vi meus pais demonstrarem qualquer sinal de descompromisso para com o evangelho; nunca os vi reclamando sobre ir a algum culto ou reunião; nunca os vi desinteressados sobre as lições mais simples que tinham a ensinar, desde as histórias bíblicas mais populares até os valores doutrinários mais complexos. Havia sempre uma paixão, visível até mesmo a seus olhos.

A autoridade para ensinar gera impacto na educação, mas somente a autenticidade pode sustentar esse impacto. Dito isso, essa autoridade e autenticidade que eles sempre carregaram ao me ensinar foi o que me conduziu às boas-novas do evangelho e, assim, através dessa porta, pude conhecer o meu Deus, não apenas o Deus de meus pais.

Durante essa jornada, o exemplo de meus pais foi precioso para mim. Eles fizeram um ótimo trabalho; eu sei que vou colher frutos eternos por causa disso. Mesmo sendo muito jovem, meus pais confiaram em mim para sair de casa, com a bênção deles, e embarcar numa verdadeira aventura, constituindo a minha própria família. Eu não poderia ser mais grato por tudo o que eles são, por tudo que fizeram e o que ainda fazem por mim.

Fico feliz por poder compartilhar com tantos irmãos em Cristo, através deste livro, os princípios que nortearam minha criação e que certamente nortearão a criação dos meus filhos.

Boa leitura!

Israel Subirá

PREFÁCIO

Criação de filhos, mesmo sendo um dos meus maiores sonhos para o futuro, não me soa como uma tarefa nada fácil já que todos nós, ainda que vivendo dentro da mesma casa, somos completamente diferentes uns dos outros. Mas, quem sabe, a grande beleza do todo está justamente nisto: ver como Deus usa as nossas particularidades para nos fortalecer como família, em vez de nos separar, se aprendermos a lidar bem com isso.

Lembro-me das minhas experiências cuidando de crianças na igreja, ao longo dos anos. Muitas vezes, quando elas começavam a chorar eu também queria fazer a mesma coisa, por não saber mais como reagir (essa memória me faz rir). Felizmente, isso era resolvido facilmente ao chamar os responsáveis e devolver a eles a criança, o choro e a responsabilidade.

Eu me pergunto qual é a sensação de quem não tem mais a quem transferir o dever. Por isso, considero você, do outro lado desta página, alguém verdadeiramente nobre por buscar mais informações a respeito desse assunto, presente no coração de Deus. Sei que você jamais transferiria ou ignoraria sua responsabilidade de não apenas criar seus filhos, mas fazer isso de tal forma que eles conheçam o caráter de Deus.

A boa notícia, no entanto, é que não excluímos, na cosmovisão bíblica, a possibilidade de assistência. O próprio Deus se dispõe a dividir sua força, seu poder e sabedoria, colocando-as também em nós, guiando nossos passos e nos orientando em tudo que precisamos.

Amo o que a Palavra fala no livro de Tiago. Ali, aprendemos que, se precisamos de sabedoria, devemos pedir isso ao nosso Pai que está nos céus, sem duvidar. Quando eu olho para a vida dos meus pais, é exatamente isso que eu vejo: disposição para caminhar segundo a sabedoria de Deus.

Não tenho dúvidas de que eles entregaram a mim e ao meu irmão Israel o melhor e sou eternamente grata por isso. No entanto, quando as situações nos surpreendiam como família e quando encarávamos os momentos em que nosso esforço se tornava insuficiente, precisávamos nos agarrar a algo mais firme.

Nunca fomos e nunca seremos perfeitos, mas o nosso Deus é. E, por causa dele, nos levantamos para dizer, em meio a uma geração que nem sempre pensa da mesma maneira, que é possível e que vale a pena lutar por esse vínculo com tudo que há em nós. Se algum dia isso parecer que isso não é o suficiente, também podemos lutar com armas espirituais.

Proteja o sonho de Deus para a sua vida, pois ele é quem faz o solitário habitar em família. Lembre-se que unidade é algo que transcende até mesmo território e distância e é uma questão do coração. Muitas famílias estão unidas fisicamente e separadas emocionalmente, ao passo que outras, mesmo separadas fisicamente por algum motivo, ainda se mantêm conectadas como podem porque fazem disso uma prioridade.

Desejo que, ao ler este livro, você seja orientado pela instrução divina e se renda aos caminhos dele, pois são muito melhores do que os nossos. Que você possa experimentar algo tão bom quanto nós, pela graça de Deus, vivemos hoje e ir além. Que a sua família seja a razão pela qual outras serão inspiradas e não desistirão. Que os seus filhos conheçam a Deus profundamente e sejam poderosos na terra, em nome de Jesus.

Lissa Subirá

INTRODUÇÃO

Por que escrevemos um livro sobre criação de filhos? Certamente não foi por nenhuma lacuna de ensino quanto ao assunto, visto que o mercado de livros cristãos tem sido abençoado por excelentes ferramentas nessa área. O que nos motivou, além de um comissionamento divino que definitivamente nos incendiou recentemente, foi considerar também os incontáveis e insistentes pedidos que, por anos, nos foram feitos para que falássemos mais sobre o assunto.

Pelo alcance que a nossa mensagem de ensino bíblico passou a ter, tanto pela literatura, pelas diversas viagens como conferencistas, bem como pelas mensagens em áudio e vídeo espalhadas pela Internet, a nossa vida familiar se tornou, por meio de muitas histórias e muitos exemplos compartilhados, um tanto quanto pública.

Muitas pessoas, algumas inspiradas pelo que presenciaram na formação de nossos filhos; outras, pelo que souberam à distância ouvindo histórias e testemunhos, se diziam inspiradas e desejavam saber mais acerca do que nos norteou na educação deles. Relutamos por muito tempo acerca de ensinar de forma profunda sobre o tema. Isso não se deu por falta de desejo nosso ou pelo não reconhecimento da importância desse tipo de ensino; relutamos apenas porque não queríamos fazer isso antes dos nossos filhos crescerem. Completamos vinte e cinco anos de casados no momento em que finalizamos esta obra, e agora podemos testemunhar que criamos dois filhos preciosos: o Israel e a Lissa.

Atualmente, ambos estão estudando e se preparando para o cumprimento da vocação divina em suas vidas. Israel, nosso primogênito, casou-se em 2017 e nos presenteou com mais uma filha fantástica, a Priscilla; e os dois nos acrescentaram imensurável alegria com a chegada de nossos dois primeiros netos: a Aela Maria e o Fineas John. Lissa, nossa caçula, casou-se com o Kalebe em 2022 e também nos presenteou com mais um filho na família.

Acreditamos que somente agora, após nossos filhos terem alcançado a maioridade e saído de casa, na chamada fase do *ninho vazio*, depois de vê-los crescidos e com o que nós consideramos ser um bom testemunho, chegou o tempo de transbordar, em larga escala, nosso entendimento bíblico e experiência na área. Fazemos isso com um único intuito: ajudar muitos pais a cumprirem bem seu papel e missão dados pelo Criador.

Por que escrevemos este livro juntos? A autoria conjunta tem o propósito de somar não apenas conhecimento e experiência, mas principalmente perspectiva. Tanto o pai quanto a mãe, individualmente, tem a tendência de focalizar mais no seu próprio papel e responsabilidade. Contudo, no plano divino, a criação de filhos é um trabalho conjunto e um depende do outro. A soma do bom desempenho de cada um produzirá um resultado que, embora não seja impossível, é mais difícil de se adquirir sozinho.

Na maior parte do tempo, conjugaremos os verbos na primeira pessoa do plural. No entanto, em situações nas quais uma perspectiva individual, ou mesmo uma experiência, merece ser compartilhada, destacaremos quem de nós fala.

DESAFIO QUE REQUER ENTENDIMENTO

Criar filhos é a maior responsabilidade que o ser humano pode exercer. Portanto, não podemos ignorar a importância dessa tarefa e nem tampouco os desafios que a acompanham, especialmente em dias de pós-modernidade. John Drescher, autor do livro *As sete necessidades básicas da criança*, comenta:

> Criar filhos nunca foi tarefa fácil e hoje tudo piorou. O mundo parece estar girando cada vez mais rapidamente. Uma avalanche de novos conhecimentos se precipita sobre ele.
>
> Os filhos estão crescendo em circunstâncias muito diferentes daquelas experimentadas pelos pais. A nova geração tem de competir a todo custo, enfrentando pressões mais poderosas do grupo e tensão emocional intensa.
>
> Isto significa que bons pais são mais necessários do que nunca. Significa que moldar vidas exige tempo, tolerância, paciência, fé, abnegação, amor e trabalho.
>
> Nada, porém, é mais compensador do que observar uma criança seguindo em direção à maturidade e independência. Jamais teremos uma oportunidade maior do que essa de ajudar os filhos a se tornarem pessoas que aceitam a responsabilidade e uma vida reta.
>
> Ao tomar consciência da enorme tarefa que é criar filhos, podemos ficar paralisados pelo medo ou sentir-nos fortalecidos pela fé. Vamos sentir-nos vencidos pelos perigos e problemas ou desafiados por possibilidades e potencial.[1]

---

[1] DRESCHER, John. **As sete necessidades básicas da criança**. Trad. Neyd Siqueira. São Paulo: Mundo Cristão, 2013. p. 9,10.

A razão pela qual muita gente tem falhado nessa missão é por ignorar princípios bíblicos que deveriam determinar os nossos valores, escolhas e ações. Está escrito: "O meu povo está sendo destruído, pois lhe falta o conhecimento." (Oseias 4.6a). Não podemos esperar cumprir bem o desafio da paternidade sem o entendimento das Escrituras, o "Manual do Fabricante", que o Criador nos legou. Por isso, o nosso foco neste livro é apresentar o que a Bíblia diz sobre o assunto. Há muita literatura boa para capacitar os pais em diversos aspectos da sua missão, por exemplo, aquelas obras que detalham a psicologia do comportamento. Mesmo assim, entendemos que essas ferramentas literárias são complementares e não substituem a orientação bíblica.

Repetimos: o foco deste livro é tratar dos valores bíblicos para aqueles que têm nas Escrituras a sua única regra de fé. Estes entendem que o plano divino do Criador é a família tradicional, composta por marido e esposa que, por sua vez, geram filhos. O propósito da família tradicional sempre foi ter cada um deles, marido e mulher, funcionando de forma harmônica em seus papéis distintos e complementares. Isso foi sustentado por Jesus (Mateus 19.4-6) e por seus apóstolos (Efésios 5.22-33 e 6.1-4; 1Pedro 3.1-7).

Entretanto, é sabido que nem sempre essa realidade pode ser vivida. Há casos, e não são poucos, nos quais o matrimônio foi ferido pelo divórcio ou encerrado pela viuvez. Sem contar os casos de filhos de pais solteiros. Mesmo cientes disso, não trataremos todos os desdobramentos práticos aqui. Aplicaremos os princípios de forma generalizada, procurando cobrir o padrão da família completa. No entanto, a falta de abordagem específica para alguns casos não significará que os princípios aqui expostos não possam ser praticados quando a figura do pai e/ou da mãe não está presente. Cremos que há graça disponível para socorrer cada um e recomendamos que os detalhes não trabalhados sejam buscados em fontes complementares, seja na literatura, seja no aconselhamento pastoral.

Compartilharemos, juntamente com o ensino da Palavra de Deus, várias experiências que tivemos na criação dos nossos filhos. É certo que o nosso propósito é tão somente ilustrar o entendimento e a aplicação dos princípios espirituais. As experiências não são a regra da criação de filhos; a Palavra de Deus é que as estabelece.

Também levaremos em conta que há uma diferença entre *princípio* e *modelo*. Princípio é aquilo que é bíblico, sendo, portanto, algo universal e indiscutível. Modelo é a forma em que cada um pratica o princípio. Por exemplo, trabalhar é uma ordem bíblica que os filhos um dia terão que cumprir. Não é opcional, é uma ordenança (2Tessalonicenses 3.10). Trata-se de um princípio. Por outro lado, a idade com que cada filho deveria começar a trabalhar e exercer responsabilidades da vida adulta pode variar em cada família. Isso é modelo.

Não queremos que aquilo que melhor nos pareceu enquanto criávamos os nossos filhos se torne regra para outros; queremos apenas que ilustre a aplicação que fizemos dos princípios. O equilíbrio reside, a nosso ver, em ensinar os princípios da Palavra de Deus e, ao mesmo tempo, apresentar aos pais a liberdade de estabelecer seu próprio modelo dentro do universo de princípios estabelecidos pelo Criador.

Outra coisa que merece ser destacada é que o assunto do livro envolve a *criação dos filhos*, mas, nosso público-alvo são os *pais* (mesmo aqueles que, neste momento, sejam considerados apenas pais potenciais). Portanto, não seria injusto, uma vez que estamos focando na preparação e capacitação daqueles que educarão os filhos, dizer que se trata de um livro sobre *formação de pais*. A visão bíblica precisa ser entendida e absorvida primeiramente pelos pais. Então, se houver diligência em aplicá-la, transbordará para a próxima geração.

Como dissemos, os princípios que compartilharemos são, em sua essência, cristãos. Embora não limitemos os leitores somente a esse grupo, vale assegurar duas coisas: (1) Trata-se de princípios *universais*, instituídos pelo Criador, oferecidos para toda a humanidade; (2) Os princípios funcionam para quem quer que os pratique, cristão ou não. Entretanto, a capacidade de discernir corretamente o tempo e o modo de aplicar tais preceitos são incomparavelmente maiores na vida daqueles que já fizeram de Jesus o Senhor de suas vidas. Bill & Beni Johnson compartilham o mesmo pensamento em *Criando filhos que vencem gigantes*, ao comentar:

> O assunto de criar filhos começa com a natureza, o caráter e a condição dos pais. Não há necessidade de pais perfeitos para criar os filhos de modo correto. Nem de pais com histórico de vida saudável. Mas há necessidade de uma busca intencional dos valores fundamentados no que a Bíblia chama de *Reino de Deus*. E, para ser sincero, muitas pessoas que nunca ouviram falar do Reino têm obtido sucesso nessa missão ao longo dos anos. Os princípios desse Reino estão escritos com letras marcantes no coração das pessoas, para que elas lhes obedeçam.

Talvez você se surpreenda, mas aqueles que guardam esses princípios, mesmo que não tenham nascido de novo, exercem uma profunda influência nos filhos que criam. Tenho visto não cristãos ser exemplos das verdades do Reino com excelentes resultados. E tenho visto cristãos desprezarem esses princípios, e os resultados foram devastadores na vida dos filhos. Não se pode negar a verdade, e ela beneficia qualquer um que dê valor a ela por meio da obediência e do respeito. Deve-se notar, contudo, que qualquer pessoa que tenha um relacionamento pessoal com Jesus e viva de acordo com os princípios de seu mundo sempre terá vantagem sobre outra que simplesmente valoriza os conceitos celestiais.[2]

A proposta deste livro é mostrar que o padrão divino para criação de filhos não é apenas o melhor; antes, é o *único* padrão que temos. As Escrituras Sagradas regem nossa fé e conduta em tudo, inclusive nas questões familiares e na criação de filhos. Esses princípios até podem ser praticados por quem não seja um discípulo de Cristo. Contudo, como compartilharemos nestas páginas, além de conhecer os princípios bíblicos, necessitaremos também da orientação do Espírito Santo que, conforme a própria Palavra de Deus diz, não é dado aos que não pertencem a Cristo (João 14.17; Romanos 8.9). Muitas das experiências que externaremos neste ensino apontam para esse aspecto, uma das essências na vida do cristão em Jesus (Romanos 8.14). Portanto, um bom começo é fazer de Jesus seu Senhor e Salvador e receber ajuda, tanto por meio da Bíblia como também de uma igreja evangélica, sobre como crescer na vida cristã.

Nosso desejo é que pais, avós e futuros pais, possam encontrar neste livro orientação e encorajamento e que reflitam tanto a compreensão quanto a prática da Palavra de Deus.

Boa leitura!

Luciano & Kelly Subirá
Outono de 2021

---

[2] JOHNSON, Bill; JOHNSON, Beni. **Filhos que vencem gigantes: crie seus filhos para um destino vitorioso.** Trad. Maria Emília de Oliveira. São Paulo: Vida, 2019. p. 28.

1
A ALEGORIA DAS FLECHAS

Como flechas na mão do guerreiro, assim são os filhos da sua mocidade. Feliz o homem que enche deles a sua aljava; não será envergonhado quando enfrentar os seus inimigos no tribunal.
(Salmos 127.4,5 — AEC)

As Escrituras Sagradas comparam os filhos com flechas. Essa analogia é rica e merece ser entendida em sua profundidade. De origem remota, as flechas são artefatos comuns à maioria das culturas antigas e sua figura da flecha, empregada alegoricamente pelo salmista, comunica uma importante lição.

Essa lição é extraída de uma ilustração que precisa ser compreendida se quisermos ser bem-sucedidos na criação dos nossos filhos. Embora, para alguns, possa soar um tanto quanto antiquado, o paralelo entre a flecha e a criação dos filhos se conserva fantástico ainda hoje e carrega muitos princípios vitais para a criação dos filhos.

A Palavra de Deus é tanto *profunda* (em sua abordagem) como *simples* (em sua aplicação). Mais do que mandamentos, nela encontramos os valores divinos, os princípios que norteiam as nossas escolhas e a vereda que define os nossos passos.

Ao comparar filhos com flechas, a Bíblia nos oferece um conjunto de ilustrações acerca daquilo que é essencial na formação dos filhos. Várias lições preciosas podem ser extraídas dessa analogia. Destacaremos, em nosso ensino, três aspectos distintos:

– destino;

– formação;

– tempo de espera.

Esse será o nosso trilho. O livro está divido em três partes, conforme esses aspectos apresentados. Antes de detalhar a aplicação desses princípios, pensamos ser proveitoso apresentar um breve panorama do que abordaremos ao longo destas páginas. Cremos que "os alicerces" a serem colocados antes da "construção do prédio" envolvem o entendimento de que a criação dos filhos depende da correta compreensão e prática de três traços importantes: compreender com clareza o alvo, ser consciente da importância da preparação das flechas e discernir o tempo de lançá-las.

DESTINO

Toda flecha deve ser lançada com a finalidade de acertar um alvo. O profeta Jeremias, lamentando a desgraça de seu povo que vivia o juízo anunciado pelo Senhor por terem pecado e não se arrependido, afirmou acerca de Deus: "Entesou o seu arco e me pôs como alvo de suas flechas" (Lamentações 3.12). Via de regra, os arqueiros não atiram a esmo, de modo que toda flecha deve ser lançada com a finalidade de acertar um alvo. A Bíblia apresenta uma única situação de arremesso a esmo; "Então um homem entesou o arco e, atirando ao acaso, atingiu o rei de Israel por entre as juntas da sua armadura." (2Crônicas 18.33a). O propósito desse relato era mostrar que a morte de Acabe foi fruto de juízo divino, não de planejamento humano. Ou seja, uma flecha sendo atirada a esmo e acertando o alvo é exceção, não a regra. Davi, falando de juízo divino, também faz uso da mesma alegoria: "[...] mirarás o rosto deles com o teu arco" (Salmos 21.12).

Não faz sentido algum usar o arco sem um alvo definido. É triste constatar que muitos pais estão atirando "suas flechas" sem ter em vista nenhum alvo. Ainda que alguns filhos, sob a soberania divina, tenham sido guiados a um alvo sem terem sido intencionalmente lançados a ele, isso não exime a responsabilidade paterna de entender o alvo e procurar acertá-lo. Exceção e regra não deveriam ser confundidos.

A responsabilidade dos pais é evidenciada, na alegoria bíblica, pelo fato de o arco e as flechas estarem "nas mãos" dos pais. E, muitas vezes, o resultado da flecha atirada dependia da *habilidade* de acerto do arqueiro e também da *força* com que ele disparava. Um exemplo disso é o relato da morte do rei Jorão: "Mas Jeú entesou o seu arco *com toda a força* e atingiu

Jorão entre os ombros; a flecha atravessou o coração, e ele caiu morto no seu carro de guerra" (2Reis 9.24).

Essa combinação de força e habilidade do arqueiro não sugere que os pais necessitem ser excepcionais em suas habilidades naturais. A coerência bíblica aponta sempre para a necessidade da dependência humana dos recursos divinos; o exercício da paternidade, como em qualquer outra área da vida do cristão, possui um estoque divino de graça (2Coríntios 12.9) e sabedoria (Tiago 1.5) que pode ser acessado.

O alvo a ser atingido retrata a responsabilidade dos pais de dar senso de *propósito* aos filhos. Entender e encaminhar os filhos a viver o plano divino é indispensável. Esse alvo, como veremos adiante, envolve pelo menos dois aspectos distintos e complementares: o plano *geral* (que diz respeito à salvação de nossos filhos) e o plano *pessoal* (que diz respeito ao propósito personalizado a ser cumprido).

Outro paralelo a ser considerado é que o alvo de um arqueiro costuma estar *longe*. A flecha não era uma arma de combate de proximidade, como a espada ou mesmo a lança. É a mesma distinção que fazemos hoje entre o uso da pistola por um soldado comum e um rifle utilizado por um atirador de elite.

Isso nos faz acreditar que todo pai e mãe deveriam pensar e sonhar grande para seus filhos. Deveriam sonhar em lançá-los "longe", mais do que eles mesmos um dia foram lançados. Independentemente do "longe" ser ou não definido pelo aspecto geográfico, essa distância deveria ser almejada.

O papel dos pais fica mais fácil de ser desempenhado quando entendemos que os filhos não são apenas nossos. Eles pertencem ao Senhor! Trataremos mais sobre isso no próximo capítulo, mas vale registrar a nossa concordância com as palavras de David e Carol Sue Merkh:

> Os filhos são nosso legado, sim. Mas, acima disso, são um legado de Deus para levar sua imagem e seu evangelho até os confins da terra. Por isso, os casais precisam avaliar seriamente diante de Deus seus motivos para ter (ou não ter) filhos. A glória de Deus está em vista, ou nosso próprio conforto? A expansão do reino, ou o aumento da conta bancária? Louve a Deus por esse privilégio. Leve a sério essa responsabilidade.[1]

---

[1] MERKH, David; MERKH, Carol Sue. **151 reflexões sobre a educação de filhos**. São Paulo: Hagnos, 2019.

FORMAÇÃO

Acertar o alvo requer mais do que simplesmente colocar uma vareta no arco e tentar arremessá-lo. Cada flecha necessita de um processo que vai da fabricação ao acabamento. A produção das flechas envolvia um trabalho meticuloso, uma vez que eram todas feitas manualmente e o trabalho artesanal envolvia, além da fabricação, os detalhes de acabamento que ampliavam a probabilidade de um tiro certeiro e do cumprimento do propósito.

Quanto ao acabamento, e dentro das informações bíblicas, podemos destacar que era feito o *polimento*, pois lemos no livro de Isaías: "Ele fez de mim uma flecha *polida* [..]" (Isaías 49.2b). O polimento não era feito apenas para evitar as farpas nas mãos dos arqueiros; ele dava à flecha a melhor aerodinâmica. Diferente de hoje, onde se tornaram artigo desportivo, as flechas eram, nos tempos bíblicos, armas de guerra: "Tinham *por arma* o arco e usavam tanto a mão direita como a esquerda para [...] atirar flechas com o arco" (1Crônicas 12.2). E, para garantir a sua eficácia e o cumprimento do propósito, as suas pontas eram *afiadas* (Salmos 45.5) e, muitas vezes, *envenenadas* (Jó 6.4). Assim, no caso de o ferimento provocado pela flecha não ser letal, o veneno garantiria que o inimigo fosse eliminado. Em outros casos, visando destruir um local, não apenas pessoas, as setas eram *inflamadas* (Salmos 7.13), razão pela qual foram denominadas, na Bíblia, como *incendiárias* (Isaías 50.11).

Assim como uma flecha mal preparada tem a probabilidade reduzida de atingir o alvo, o mesmo se dá com os filhos. Isso não significa que o Senhor não poderá usar alguém "mal preparado" por seus pais (ou mesmo "despreparado" pela ausência deles), mas que podemos potencializar o preparo deles cooperando, assim, com Deus.

Ao mesmo patriarca Abraão a quem o Senhor fez uma grande promessa também foi dada a ordem de preparar as próximas gerações como um fator *condicional* para o cumprimento da mesma promessa: "Porque eu o escolhi para que ordene aos seus filhos e a sua casa depois dele, a fim de que guardem o caminho do Senhor e pratiquem a justiça e o juízo, *para que o Senhor faça vir sobre Abraão o que lhe prometeu*" (Gênesis 18.19).

A frase "para que o Senhor faça vir sobre Abraão o que lhe prometeu" destaca a dimensão da responsabilidade que lhe foi dada. Ordenar aos filhos e à posteridade que guardassem o caminho do Senhor era a missão de Abraão. Era responsabilidade dele, e o cumprimento da promessa divina estava condicionado ao cumprimento do papel que lhe havia sido dado.

Portanto, como já afirmamos, a produção das flechas figura a responsabilidade dos pais educarem, corrigirem e prepararem os filhos para a vida.

TEMPO DE ESPERA

As setas, assim que preparadas, não são imediatamente disparadas, mas permanecem na aljava, onde são guardadas até a hora de serem lançadas. Observe a analogia encontrada no livro do profeta Isaías: "Ele fez de mim uma flecha polida, e *me guardou na sua aljava*" (Isaías 49.2). A menção de se guardar a flecha na aljava confirma isso.

O flecheiro, além de ter um alvo, precisava usar sua arma na hora certa. Semelhantemente, é necessário discernir quando e como liberar nossos filhos para a fase adulta, como está escrito: "e o coração do sábio conhece *o tempo e o modo* certo de agir. Porque há *um tempo e um modo* para todo propósito" (Eclesiastes 8.5b,6). E melhor do que ser "sábio aos seus próprios olhos" (cf. Provérbios 3.7) é buscar a sabedoria divina: "Se, porém, algum de vocês necessita de sabedoria, peça a Deus, que a todos dá com generosidade e sem reprovações, e ela lhe será concedida" (Tiago 1.5). Em nossa jornada como pais, investimos tempo buscando a sabedoria e a orientação divinas para a criação dos nossos filhos. Temos uma promessa, uma garantia de Deus, de que essa oração será atendida de forma generosa.

Não existe um dia e uma hora padrão para o lançamento dos nossos filhos para a vida. Isso é parte de um plano divino, personalizado, que carrega o desafio de ser discernido. Há momentos que uma leitura e avaliação das circunstâncias parece ser suficiente. Foi isso que Samuel declarou a Saul: "Quando estes sinais se cumprirem, *faça o que a ocasião exigir*, porque Deus está com você" (1Samuel 10.7). Entre detalhes específicos do que o futuro rei de Israel deveria saber, o profeta também oferece uma orientação genérica. Ela apenas aponta para a necessidade de análise das circunstâncias e de uma decisão lógica.

O fato é que não há regras preestabelecidas por Deus sobre *cada detalhe* do que temos que fazer como pais. Há momentos em que, baseados em princípios gerais, teremos que decidir questões pontuais. Parece ser uma referência a esse tipo de variável, na equação da vida, que encontramos na carta aos hebreus:

> Além disso, tínhamos os nossos pais humanos, que nos corrigiam, e nós os respeitávamos. Será que, então, não nos sujeitaremos muito mais ao Pai espiritual, para vivermos? Pois eles nos corrigiam por pouco tempo, *segundo melhor lhes parecia*; Deus, porém, nos disciplina para o nosso próprio bem, a fim de sermos participantes da sua santidade. (Hebreus 12.9,10)

A frase "segundo melhor lhes parecia" fala do bom senso e poder de análise que se requer dos pais. Contudo, ninguém está limitado apenas a esse tipo de decisão. Vale ressaltar que os crentes que vivem a nova aliança podem usufruir de uma ferramenta — e privilégio — que não deveria ser ignorada: a liderança do Espírito Santo.

Isso deveria nos levar além da mera atitude analítica das circunstâncias e ressaltar a importância de se viver na dependência do Espírito de Deus. Em Atos 27.9-11, lemos que Paulo advertiu o centurião responsável pelo transporte dos presos até Roma que haveria dificuldade na viagem. O oficial romano consultou o piloto e o mestre do navio que, baseados na própria experiência e capacidade analítica da situação, decidiram seguir viagem, sem discernir o perigo do qual o apóstolo os notificava.

O resultado? Um naufrágio precedido das palavras de censura de Paulo: "Havendo todos estado muito tempo sem comer, Paulo, pondo-se em pé no meio deles, disse: — Senhores, na verdade, era preciso terem-me atendido e não partir de Creta, para evitar este dano e perda" (Atos 27.21).

Qual é a diferença entre Paulo e esses homens que não o ouviram?

Eles podiam ser *experts* naquilo que faziam, a navegação; entretanto, o apóstolo havia se tornado um *expert* na liderança divina, na orientação do Espírito Santo.

Temos que conhecer os princípios bíblicos gerais e aprender a tomar decisões com base neles. Contudo, mais do que apenas analisar de modo natural a situação que nos rodeia, precisamos viver sob a liderança do Espírito Santo. A Palavra de Deus diz: "Pois todos os que são guiados pelo Espírito de Deus são filhos de Deus" (Romanos 8.14).

Podemos testemunhar que nossa experiência como pais inúmeras vezes foi a de sermos socorridos pela liderança do Espírito Santo. E isso, associado ao entendimento bíblico de como criar os filhos, nos ajudou muito. É claro que também falhamos ao longo dessa jornada, até porque, várias vezes, não nos permitimos ser guiados pelo Ajudador. Mas até mesmo em situações em que erramos ainda pudemos corrigir nossos erros, depois de ser socorridos por ele.

Assim, neste livro oferecemos princípios bíblicos que ajudem os pais a entender o plano geral que o Pai celestial tem para cada um dos seus filhos. Contudo, não podemos ignorar que somente debaixo da orientação do Espírito Santo e em oração e entrega é que poderemos cooperar com ele para encaminhar nossos filhos ao plano personalizado que foi planejado para cada um deles.

* * *

PERGUNTAS PARA REFLEXÃO

1. Entender os *três aspectos* da criação dos filhos (destino, formação e tempo), presente na analogia das flechas, nos ajuda a entender a integralidade da missão dos pais. Em sua opinião qual seria o prejuízo de não entender ou praticar algum desses aspectos?

2. Em algum momento, antes ou depois de sua experiência de paternidade, você já tinha clareza a respeito desse alvo a ser alcançado na formação dos filhos? Se sim, isso envolvia, mais do que filhos "bem criados", a meta de criar filhos que conheçam e honrem ao Senhor Jesus Cristo?

3. Se, por um lado, podemos e devemos contar com o auxílio divino na criação de filhos, por outro, o Criador também conta conosco no trabalho de educá-los. Você já tinha consciência desse nível de responsabilidade? E do privilégio de ser um cooperador com Deus para que os filhos vivam seu destino profético?

4. O "tempo da aljava" além de ser a fase da educação e preparação dos filhos também é um período de "gestação espiritual" (por meio da oração intercessória). Você se classifica como um progenitor que já exerce essa responsabilidade?

PARTE 1
DESTINO

2
O ALVO PRINCIPAL

As flechas devem ser intencionalmente lançadas com a finalidade de atingir o alvo. O mesmo se dá com a criação dos filhos. Os pais devem dar senso de *propósito* a eles. Auxiliá-los a viver o plano divino é tarefa prioritária. Quem deveria lançar os filhos ao alvo divino são os pais. Contudo, diante disso, surge a questão: qual significa o alvo a ser alcançado?

Podemos entender o alvo como o destino e o propósito dos filhos. E, ao abordar esse tema, devemos primeiramente reconhecer dois tipos distintos de alvo:

Geral. Aquilo que, de forma *generalizada*, Deus planejou **para todos** nós. Por exemplo, as Escrituras afirmam que ele "[...] deseja que todos sejam salvos e cheguem ao pleno conhecimento da verdade" (1 Timóteo 2.4). Esse é um alvo que se aplica a todos.

Pessoal. Aquilo que, de forma *personalizada*, o Criador planejou **para cada um** de nós. A Palavra de Deus revela que há projetos individuais. Ananias foi enviado pelo próprio Cristo com uma mensagem a Paulo, imediatamente após a sua conversão: "O Deus de nossos pais escolheu você de antemão para conhecer a vontade dele, ver o Justo e ouvir a voz dele" (Atos 22.14). Essa afirmação representa o plano divino para Paulo, não para cada um de nós. O fato de ele ter sido escolhido para ver Jesus não significa que o mesmo se dará com cada um de nós.

Neste capítulo, enfatizaremos o alvo geral e, dada a sua importância, queremos denominá-lo como o **alvo principal**, algo que deveria ser compreendido como a meta maior de vida para cada ser humano.

A vida cristã, como tudo aquilo que Deus planeja, tem um propósito, um objetivo. O apóstolo Paulo se referiu a isso como um alvo: "Irmãos, quanto a mim, não julgo havê-lo alcançado, mas uma coisa faço: esquecendo-me das coisas que ficam para trás e avançando para as que estão diante de mim, **prossigo para o alvo**, para o prêmio da soberana vocação de Deus em Cristo Jesus" (Filipenses 3.13,14).

A palavra grega empregada pelo apóstolo Paulo nos manuscritos originais é *skopos* (σκοπος) e, de acordo com o *Léxico de Strong*, além de significar um "observador, guarda, sentinela", também era usado para falar de um "sinal distante para o qual se olha, alvo ou fim que alguém tem em vista".[1]

Portanto, é evidente que a caminhada da fé também tem um alvo, um fim que devemos ter em vista. O apóstolo Pedro referiu-se a isso com as seguintes palavras: "obtendo *o alvo* dessa fé: a salvação da alma" (1Pedro 1.9). Enquanto várias traduções optaram pela palavra "alvo", outras fizeram uso da palavra "fim" como a *Tradução Brasileira*: "alcançando o fim da vossa fé, a salvação das vossas almas".

A palavra que consta no original grego é *telos* (τελος), procedente da palavra primária *tello*, que significa "estabelecer um ponto definitivo ou objetivo" e, segundo Strong, seu significado envolve a ideia de "fim, término, o limite no qual algo deixa de ser (sempre do fim de um ato ou estado, mas não do fim de um período de tempo); o último em uma sucessão ou série; aquilo pelo qual algo é terminado, seu fim, resultado; o fim ao qual todas as coisas se relacionam, propósito".[2]

A afirmação não sugere que a fé termina, no sentido de acabar, uma vez que a Bíblia deixa claro que "permanecem a fé, a esperança e o amor" (cf. 1Coríntios 13.13). A afirmação de Pedro revela que a fé tem um objetivo, um propósito, uma razão de ser. Ou seja, a fé tem um alvo. E qual é esse alvo, o objetivo da fé? O apóstolo é direto em sua afirmação: "a salvação da alma". Logo o alvo principal, a vontade geral de Deus para todos os homens é a salvação em Cristo Jesus.

---

[1] Strong, James. **New Strong's Exhaustive Concordance of the Bible**. Nashville: Thomas Nelson Publishers, 1990.

[2] Idem, ibidem.

Por mais óbvio que este assunto pareça, ele merece a nossa atenção e reflexão. Antes de trabalhar a ideia do alvo personalizado na vida dos nossos filhos, precisamos ajudá-los a alcançar o alvo geral. Temos visto pais que se preocupam mais com a formação acadêmica e profissional de seus filhos do que com a salvação da alma eterna deles. É claro que esses também são assuntos importantes, embora não possam ser classificados, nem de longe, como o mais importante. A vida cristã tem diferentes etapas, fato que nos foi ensinado por nosso Senhor Jesus: "— Entrem pela porta estreita! Porque larga é a porta e espaçoso é o caminho que conduz para a perdição, e são muitos os que entram por ela. Estreita é a porta e apertado é o caminho que conduz para a vida, e são poucos os que o encontram" (Mateus 7.13,14).

Nos exemplos anteriores, Cristo destaca uma jornada que envolve três estágios: (1) entra-se por uma *porta*, (2) percorre-se um *caminho* e (3) alcança-se o *destino* — que aqui denominamos *alvo*. O que muda e consequentemente determina o futuro — vida ou perdição — é a largura da porta e do caminho, além de quanta gente transita em cada um deles. No entanto, as etapas coincidem, não importa qual seja o cenário.

O que encontramos na declaração de Jesus, descrita no Evangelho de Mateus e claramente sustentada por outros textos bíblicos, é a distinção de três momentos importantes da caminhada cristã. Há começo, meio e fim.

A porta de entrada no Reino de Deus se dá através do novo-nascimento (João 3.5). A vida cristã é comparada a um caminho (Atos 9.1,2). E, como todo caminho tem um destino, só há um propósito para essa caminhada: o alvo a ser alcançado.

O senso de destino deveria orientar toda a educação de nossos filhos. Portanto, primeiramente abordaremos a ideia do alvo principal (salvação e vida com Deus) e, depois, a ideia de um alvo pessoal.

PROPRIEDADE DIVINA

Os filhos não nos pertencem. A Bíblia demonstra que eles são propriedade do Senhor: "Herança do SENHOR são os filhos; o fruto do ventre, seu galardão" (Salmos 127.3).

Qual é o significado da palavra "herança"? A palavra hebraica, utilizada no original, é *nachalah* (הלחנ) e significa: "possessão, propriedade, herança, quinhão; porção, parte; herança". A ideia de herança está atrelada ao conceito de propriedade, de posse. Recebemos nossos filhos do Senhor, como dádiva dele. Algumas versões utilizam a expressão *galardão*, outras optam por *recompensa* e ainda há as que preferiram *presente*. Contudo, é imperativo entender que não se trata de uma transferência de posse da qual não há mais prestação de contas. Se assim fosse, não haveria cobrança alguma da parte de Deus em relação aos pais que falharam com os filhos.

Entendemos que os filhos são propriedade do Senhor e, sem deixar de sê-lo, nos foram confiados. Devemos criá-los com a consciência de que responderemos a Deus sobre essa tarefa. Essa consciência deveria não apenas nos tornar responsáveis na execução da nossa nobre missão, como também guiar-nos à conclusão de que os filhos vieram de Deus —como dádivas divinas — e voltam para ele, no sentido de que precisam conhecê-lo e servi-lo.

Portanto, diante dessa compreensão, qual é a responsabilidade *primária* dos pais?

É mais que suprir as necessidades *físicas* e *emocionais*. É levar os filhos a viver a vida em Deus: "E vocês, pais, não provoquem os seus filhos à ira, mas tratem de *criá-los na disciplina e na admoestação do Senhor*" (Efésios 6.4).

A palavra traduzida por "criar", no original grego, é *ektrepho* (εκτρεφω) e significa "alimentar até tornar-se maduro, educar, nutrir, criar". Qualquer aspecto de interpretação dessa palavra apontará na direção de um trabalho contínuo e ininterrupto. Alimentar, educar e criar não é algo que fazemos apenas em um dia da semana. É ato contínuo! Com a criação espiritual não é diferente. De igual modo, deve ser atividade diária e permanente. Cumprir esse papel deveria produzir em nós grande alegria: "Não tenho maior alegria do que esta, a de ouvir que os meus filhos vivem de acordo com a verdade" (3João 4).

David e Carol Sue Merkh pontuam o assunto assim: "A primeira responsabilidade de pais cristãos é levar seus filhos de volta para Deus. O evangelho da salvação e santificação em Cristo Jesus deve ser o centro de todas as nossas atividades como pais".[3]

---

[3] MERKH, David; MERKH, Carol Sue. **151 Reflexões Sobre a Educação de Filhos**. São Paulo: Hagnos, 2019.

> **LUCIANO**
>
> Eu nasci e cresci num lar cristão, o que me enche de gratidão. Pude criar meus filhos repassando o mesmo "bastão da fé" que me foi entregue, e eles estão cientes e convictos da responsabilidades de fazer o mesmo com a próxima geração. Entretanto, o meu pai, Juarez Subirá, não teve o mesmo privilégio. Nascido e criado numa família desestruturada, ele perdeu o pai quando tinha cerca de 12 anos de idade, por suicídio. Não temos conhecimento de ninguém, na ascendência de meu pai, que tenha se convertido a Cristo; até onde sabemos, ele compõe a primeira geração de convertidos.
>
> Aos 18 anos, quando teve seu encontro com Cristo, ele teve contato com o texto bíblico que afirma: "Deus faz com que o solitário more em família" (Salmos 68.6a). A partir da descoberta de que o Criador tinha um plano para a família, papai tomou uma decisão: mesmo não tendo um *background* evangélico, mesmo sendo a primeira geração a converter-se, ele se empenharia para que as gerações seguintes vivessem o legado da fé e uma realidade diferentes. Por causa da decisão dele, meus irmãos e eu fomos conduzidos a Cristo e pudemos fazer o mesmo com nossos filhos.
>
> Se você teve o mesmo privilégio que eu, de nascer e crescer numa família de convertidos a Cristo, sua responsabilidade de perpetuar o legado da fé é ainda maior. Contudo, mesmo que você, à semelhança de meu pai, não tenha cristãos em sua ascendência, pode tomar a decisão de, a partir de você, garantir que as gerações futuras conheçam e sirvam ao Senhor.

Todo pai e mãe deve ter consciência da responsabilidade de transmitir um legado espiritual. Mais do que apenas conhecer e servir a Deus, os pais devem guiar seus filhos a conhecê-lo. O Criador espera que cada geração prepare espiritualmente a geração seguinte. Essa expectativa fica evidente na ordem — não sugestão — que ele deu aos pais: "Estas palavras que hoje lhe ordeno estarão no seu coração. Você *as inculcará a seus filhos*, e delas falará quando estiver sentado em sua casa, andando pelo caminho, ao deitar-se e ao levantar-se" (Deuteronômio 6.6,7).

A primeira coisa a ser destacada na ordenança divina é que ela é algo a ser executado *diariamente*. O Senhor determinou que os pais devem falar da Palavra a seus filhos ao deitar-se e ao levantar-se e, uma vez que ambas as ações se repetem dia após dia, consequentemente a orientação divina tem que ser vista da mesma forma.

Isso não apenas destaca a responsabilidade paterna de orientação espiritual diária, como também nos remete ao conceito de continuidade geracional.

CONTINUIDADE GERACIONAL

O projeto celestial de transmissão da fé e do conhecimento da Palavra de Deus às próximas gerações ganha destaque nas Escrituras. Vale ressaltar que há *muitas referências* bíblicas acerca disso. Observemos algumas delas:

> Deus disse ainda mais a Moisés:
>
> — Assim você dirá aos filhos de Israel: "O Senhor, o Deus dos seus pais, o Deus de Abraão, o Deus de Isaque e o Deus de Jacó, me enviou a vocês. Este é o meu nome eternamente, e assim serei lembrado *de geração em geração*". (Êxodo 3.15)

Juntamente com a revelação do nome do Senhor, Deus também esclarece a Moisés qual era o propósito de fazer seu nome conhecido: "e assim serei lembrado de geração em geração". Nos Salmos encontramos várias referências à continuidade geracional da fé e do conhecimento de Deus e sua Palavra. Observe:

> A posteridade o servirá, e *se falará do Senhor à geração vindoura*. Virão e anunciarão a justiça dele; ao povo que há de nascer, contarão que foi ele quem o fez. (Salmos 22.30,31)

> Ó Deus, nós ouvimos com os próprios ouvidos; *nossos pais nos contaram* o que fizeste outrora, em seus dias. (Salmos 44.1)

O que ouvimos e aprendemos, o que os *nossos pais nos contaram*, não o encobriremos a seus filhos; *contaremos à geração vindoura* os louvores do Senhor, e o seu poder, e as maravilhas que fez.

Ele estabeleceu um testemunho em Jacó, e instituiu uma lei em Israel, e ordenou aos nossos pais que os *transmitissem a seus filhos*, a fim de que *a nova geração os conhecesse*, e *os filhos que ainda hão de nascer* se levantassem e, por sua vez, os *contassem aos seus descendentes*; para que pusessem a sua confiança em Deus e não se esquecessem dos feitos de Deus, mas lhe observassem os mandamentos. (Salmos 78.3-7)

Quanto a nós, teu povo e ovelhas do teu pasto, para sempre te daremos graças; *de geração em geração* proclamaremos os teus louvores. (Salmos 79.13)

Uma geração louvará à outra geração as tuas obras e anunciará os teus poderosos feitos. (Salmos 145.4)

A quantidade de versículos bíblicos que abordam o assunto nos leva além da mera informação e nos conduz ao terreno da ênfase. A lógica é simples: Deus não falaria tanto do assunto se não se tratasse de algo importante e se ele não quisesse que nós tomássemos conhecimento disso. Fazendo uso da figura da corrida de revezamento, diríamos que a transmissão do "bastão da fé" à próxima geração é assunto prioritário, de suprema importância.

Um exemplo inspirador do entendimento de continuidade geracional é José, bisneto do patriarca Abraão. Danilo Figueira, abordando a questão de senso de continuidade, em *Liderança acima da média*, comenta:

José escolheu manter-se como parte de um projeto maior do que ele mesmo, sendo elo entre uma geração e outra. Não somente quando sofreu, mas também quando foi coroado com honra e poder, manteve-se na missão de dar sequência a uma história que havia começado muito antes do seu nascimento. Essa perspectiva o ajudou a ver a vida de uma forma mais ampla e cheia de propósito. Tanto é verdade que, quando finalmente se reencontrou com os irmãos que o haviam traído, estando em condição de se vingar, ela não o fez. Em vez disso, não apenas os perdoou, como se assumiu um "missionário" que apenas havia chegado na frente, para lhes preparar caminho. […]

Isso tem a ver com a honra que se presta às gerações passadas, mas também com o compromisso que se assume em relação às gerações futuras. Não se trata apenas de desfrutar de uma herança acumulada, mas também de ampliá-la e transferi-la adiante. [...]

Perceba que o compromisso de José não era apenas dar socorro a seu pai e seus irmãos num tempo difícil, mas garantir condição de que suas próximas gerações prosperassem. Não era beneficência que o movia, mas visão. Foi nessa perspectiva que usou de influência sobre o poderoso Faraó, para que fosse dado a seus familiares direito de viver em Gósen, a melhor região disponível.[4]

Qual é exatamente a importância dessa continuidade geracional da nossa fé?

Ter nossos filhos (e posteridade) firmes na Palavra é mais do que gratificante. Como declarou o apóstolo João, é nossa *maior alegria*: "Não tenho maior alegria do que esta: a de ouvir que os meus filhos vivem de acordo com a verdade" (3João 4). Ainda que João falasse sobre os filhos espirituais — não exclusivamente dos naturais —, ele só fez uso da analogia por saber que ela seria entendida pelos que são pais naturais. Entretanto, apesar da alegria e realização pessoal que alcançamos por ver nossos filhos amando e servindo ao Senhor, nossa motivação de preservar a continuidade geracional da aliança firmada com Deus deve ir além da esfera de realização paterna. Seria egoísmo parar apenas nesse nível. É necessário entender que isso afeta diretamente o estabelecimento do Reino de Deus na terra.

Como?

O plano divino é multigeracional. O que Deus intencionou fazer na terra nunca foi apenas para *uma* ou *algumas* gerações, mas para *todas*!

Quando o Senhor prometeu a Abraão que faria algo que alcançaria todas as famílias da terra (Gênesis 12.3), não limitou sua promessa apenas aos dias em que o patriarca estivesse vivo. Essa é a razão pela qual as Escrituras enfatizam, ao falar de Abraão e dos patriarcas, pessoas que "morreram na fé" e destaca: "[...] Não obtiveram as promessas, mas viram-nas de longe e se alegraram [...]" (Hebreus 11.13). O projeto divino, envolvendo o pai da fé e sua família, claramente envolvia a visão de

---

[4] FIGUEIRA, Danilo. **Liderança acima da média**. Ribeirão Preto: Selah Produções, 2020. p. 25, 36,40.

preparar as próximas gerações: "Porque eu o escolhi para que *ordene aos seus filhos e a sua casa depois dele,* a fim de que guardem o caminho do Senhor e pratiquem a justiça e o juízo, para que o Senhor faça vir sobre Abraão o que lhe prometeu" (Gênesis 18.19).

Abraão recebeu tanto uma promessa para as gerações futuras como também a responsabilidade de cooperar com ela, o que tornava a promessa *condicional.* A missão de ordenar aos seus filhos e a sua casa a guardarem o caminho do Senhor, e a praticarem a justiça e o juízo era determinante não apenas para que Abraão, como pai, se regozijasse pela vida espiritual dos seus filhos, mas também para que o plano divino se cumprisse na terra.

Era o propósito do Criador que estava em jogo e, temos que levar isso em conta, na dependência de que o patriarca levasse a sério o encargo recebido. Criar filhos é mais do que um privilégio: é uma responsabilidade! Não só no que diz respeito à eternidade deles como também quanto ao avanço do Reino de Deus. É uma incumbência divina e precisa ser vista e praticada como tal.

Juntamente com a ordem de ensinar as gerações seguintes a andarem no caminho do Senhor, foi dado a Abraão um sinal que serviria de selo da sua aliança com Deus e que deveria ser transmitido de geração em geração: a circuncisão.

Deus disse ainda a Abraão:

— Guarde a minha *aliança,* você *e a sua descendência* no decurso das suas gerações. Esta é a aliança que vocês guardarão entre mim e *vocês* e a *sua* descendência: todos do sexo masculino que estão no meio de vocês deverão ser circuncidados. Vocês devem circuncidar a carne do prepúcio e isso servirá como *sinal de aliança entre mim e vocês.* O menino que tem *oito dias* será circuncidado entre vocês. Todos do sexo masculino nas suas gerações devem ser circuncidados, também o escravo nascido em casa e o comprado de qualquer estrangeiro, que não for da sua linhagem. Deve ser circuncidado o que nasceu em sua casa e o que você comprou com dinheiro. A minha aliança estará na carne de vocês e *será aliança perpétua.* O incircunciso, que não tiver sido circuncidado na carne do prepúcio, deve ser eliminado do meio do seu povo, pois quebrou a minha aliança (Gênesis 17.9-14)

Muitos não conseguem entender a força da mensagem por trás desse ritual que era justamente a ideia de uma aliança que se transmitiria de uma geração para outra. Por envolver o derramamento de sangue, a aliança enquadrava-se, dentro dos conhecidos costumes dos povos antigos, como o mais alto nível de aliança que poderia ser firmado entre as partes: uma *aliança de sangue*. Ela retratava um compromisso sério, profundo e que não deveria ser quebrado. Contudo, além de expressar a força do comprometimento, a circuncisão também comunicava sua natureza multigeracional. E o patriarca tanto entendeu como imediatamente cumpriu o que lhe foi ordenado: "*Naquele mesmo dia,* Abraão tomou o seu filho Ismael, e todos os escravos nascidos em sua casa, e todos os que ele tinha comprado com o seu dinheiro, todos os do sexo masculino que havia em sua casa, e circuncidou a carne do prepúcio de cada um, como Deus lhe havia ordenado" (Gênesis 17.23).

Era responsabilidade do pai circuncidar seus filhos. Em outras palavras, transmitir à geração seguinte a mesma aliança que ele tinha com Deus. A mensagem de continuidade geracional é clara nesse rito firmado pelo Senhor. Vale ressaltar que o lugar escolhido para se efetuar a "marca da aliança" também era simbólico: o prepúcio a ser cortado era nada mais nada menos que a pele que cobre o pênis, o órgão reprodutor masculino. Portanto, ao circuncidar o filho, o pai não apenas estava transmitindo a aliança que ele mesmo tinha com Deus, como também estava comissionando o filho a fazer o mesmo no futuro. A mensagem para aquele garoto, ainda que não verbal, era: "Quando você crescer e chegar o momento de procriar, terá um *lembrete*, em seu próprio órgão reprodutor, da responsabilidade de fazer exatamente o que foi feito com você e transmitir a aliança com o Senhor à próxima geração depois de você".

Algo que não pode ser ignorado na ordenança divina dada a Abraão é a sua natureza, definida pelo próprio Senhor, como uma "aliança perpétua" (Gênesis 17.13). Sempre que as Escrituras empregam essa terminologia falam de algo que não terá fim. Isso não significa que o rito da circuncisão jamais cessaria — coisa que o Novo Testamento aponta ter acontecido —, e sim que a mensagem e a missão que estavam implícitos nele jamais deixariam de ser praticados.

Paulo deixa claro, em suas epístolas, a não continuidade literal desse ritual na nova aliança:

"Foi alguém chamado, estando circunciso? Não desfaça a circuncisão. Foi alguém chamado, estando incircunciso? Não se faça circuncidar. A circuncisão, em si, não é nada; a incircuncisão também nada é, mas o que vale é guardar os mandamentos de Deus" (1Coríntios 7.18,19).

Eu, Paulo, lhes digo que, se vocês se deixarem circuncidar, Cristo não terá valor nenhum para vocês. De novo, testifico a todo homem que se deixa circuncidar que o mesmo está obrigado a guardar toda a lei. Vocês que procuram justificar-se pela lei estão separados de Cristo; vocês caíram da graça de Deus. Porque nós, pelo Espírito, aguardamos a esperança da justiça que provém da fé. Porque, em Cristo Jesus, nem a circuncisão, nem a incircuncisão têm valor algum, mas a fé que atua pelo amor (Gálatas 5.2-6).

Embora seja evidente o fim da circuncisão literal, na carne, tanto o princípio como a mensagem espiritual nela embutidos são sustentados na nova aliança. A prova disso é que os pais continuam debaixo da responsabilidade de transmitir seu legado de fé e obediência aos filhos: "E vocês, pais, não provoquem os seus filhos à ira, mas tratem de *criá-los na disciplina e na admoestação do Senhor*" (Efésios 6.4).

Cada nova geração deveria fazer o mesmo. Contudo, nem sempre isso acontece. Não por falta de orientação divina, mas por omissão humana. E a pergunta que cada geração deveria fazer a si mesma é: "Quais são os danos dessa omissão? Qual é o prejuízo que a desobediência em preparar a nova geração produz?". Trataremos disso no próximo capítulo.

* * *

PERGUNTAS PARA REFLEXÃO

1. Conduzir os filhos a Cristo tem sido sua missão primordial?

2. Você concorda que, se entendermos que os filhos são propriedade do Senhor, que nos foram confiados por ele e que prestaremos contas da maneira como os criamos, essa consciência afetará a nossa conduta como pais?

3. À semelhança de uma corrida de revezamento, cada geração precisa passar o bastão à próxima. A efetividade de nossa fé envolve mais do que apenas sermos fiéis ao Senhor em nossa geração; ela também engloba a transmissão da aliança à geração seguinte. Como você avalia, por essa perspectiva, o cumprimento da sua responsabilidade paterna?

4. Quais ações práticas podem ser implementadas para que o alvo principal da vida de seus filhos seja alcançado?

3

DANOS DA OMISSÃO

A Palavra de Deus nos mostra a consequência da negligência no ensino na história de Israel: "Toda aquela geração também morreu e foi reunida aos seus pais. E, depois dela, se levantou uma nova geração, que não conhecia o Senhor, nem as obras que ele havia feito por Israel" (Juízes 2.10).

A frase "uma nova geração [...] que não conhecia o Senhor" significa que, em vez de avançar a partir do fundamento e da plataforma do que foi construído nas gerações anteriores, era necessário começar tudo de novo. Ou seja, o prejuízo não era apenas para aquela geração privada do conhecimento divino, como também para o Reino de Deus.

Não estou dizendo que o prejuízo espiritual sofrido pela nova geração fosse coisa de pouca importância. Ainda hoje isso é determinante para a eternidade de cada alma pertencente a uma geração negligenciada. O ponto a ser entendido é que, além dessa imensurável perda para eles, o dano ainda se estende às próximas gerações depois dela e afeta a expansão do projeto celestial para a toda a humanidade.

Cada pai e mãe devem assumir sua responsabilidade de conduzir os filhos a Cristo e criá-los no caminho do Senhor. Nossos filhos cresceram participando de todas as atividades possíveis na igreja e, na maior parte dos seus anos de estudo, frequentaram escolas cristãs

— um sacrifício financeiro que fizemos e do qual nunca nos arrependemos. Somos gratos a Deus pelo acréscimo que nosso filhos tiveram, seja por meio da igreja ou das escolas cristãs em que estudaram; porém, nunca terceirizamos nossa responsabilidade paterna em instruí-los em relação à fé. Muitos pais, infelizmente, fizeram dessas ferramentas de *acréscimo* ao seu papel uma substituição de seu dever.

Precisamos de uma mentalidade de continuidade geracional da fé que nos mantenha sempre conscientes da nossa responsabilidade para com as gerações vindouras. As advertências bíblicas acerca disso são abundantes mas uma especificamente nos chama muito a atenção e nos ensina lições preciosas sobre enxergar claramente a missão que nos foi dada em relação à nossa posteridade: a história de Ezequias.

Décimo segundo rei de Judá, filho de Acaz e Abi (2Reis 18.1,2), Ezequias foi um homem de Deus que marcou a sua geração. Começou a reinar aos 25 anos de idade e foi indiscutivelmente um homem de fé que experimentou milagres e intervenções divinas. Porque era alguém comprometido com a Palavra de Deus, promoveu um avivamento em seus dias, chamando o povo ao arrependimento e ao abandono da idolatria e convocando-os a que se voltassem para o Senhor e para o padrão divino que as gerações anteriores haviam desprezado.

> Ezequias fez o que era reto aos olhos do Senhor, segundo tudo o que Davi, seu pai, havia feito. Removeu os lugares altos, quebrou as colunas e derrubou o poste da deusa Aserá. Também fez em pedaços a serpente de bronze que Moisés havia feito. Os filhos de Israel chamavam essa serpente de Neustã e até aquele dia lhe queimavam incenso.
>
> Ezequias confiou no Senhor, Deus de Israel, de maneira que não houve ninguém como ele entre todos os reis de Judá, nem antes nem depois dele. Porque se apegou ao Senhor, não deixou de segui-lo e guardou os mandamentos que o Senhor ordenou a Moisés. Assim, o Senhor estava com ele, e ele teve êxito em todos os seus empreendimentos. Rebelou-se contra o rei da Assíria e não o serviu (2Reis 18.3-7).

A importância do papel desempenhado por Ezequias é inquestionável. O que não significa que o rei de Judá tenha sido perfeito. Ele agiu corretamente para com a sua geração, mas infelizmente falhou terrivelmente com a geração seguinte. E não foi por falta de advertência!

No décimo quarto ano do seu reinado, após um livramento divino da terrível ameaça de Senaqueribe, rei da Assíria, Ezequias adoeceu. Foi quando a palavra profética veio até ele: "Por esse tempo, Ezequias adoeceu de uma enfermidade mortal. O profeta Isaías, filho de Amoz, foi visitá-lo e lhe disse: — Assim diz o Senhor: 'Ponha em ordem a sua casa, porque você morrerá; você não vai escapar.' " (2Reis 20.1).

Ainda que enfermo e sob um decreto divino de morte, o homem de Deus clamou ao Senhor por intervenção e, foi atendido. Essa não foi a primeira intervenção celestial em sua vida. Ele sabia que poderia ser ouvido pelo Criador.

> Então Ezequias virou o rosto para a parede e orou ao Senhor, dizendo:
>
> — Ó Senhor, lembra-te de que andei diante de ti com fidelidade, com coração íntegro, e fiz o que era reto aos teus olhos.
>
> E Ezequias chorou amargamente.
>
> Antes que Isaías tivesse saído do pátio central, a palavra do Senhor veio a ele, dizendo:
>
> — Volte e diga a Ezequias, príncipe do meu povo: Assim diz o Senhor, o Deus de Davi, seu pai: "Ouvi a sua oração e vi as suas lágrimas. Eis que eu vou curá-lo e, ao terceiro dia, você subirá à Casa do Senhor. Acrescentarei quinze anos à sua vida e livrarei das mãos do rei da Assíria tanto você quanto esta cidade. Defenderei esta cidade por amor de mim e por amor a Davi, meu servo (2Reis 20.2-6).

Nesse ponto da história, precisamos enxergar detalhadamente o que está acontecendo. Deus *ordenou* a Ezequias que fizesse algo a respeito da sua casa. Não se tratava de um pedido por um favor caso houvesse boa vontade da outra parte. Era uma determinação divina que deveria ser obedecida. Por outro lado, temos o rei de Judá *pedindo* a Deus por sua cura e por mais tempo de vida. É óbvio que ele não estava em posição de exigir ou ordenar nada. Ezequias, diferentemente de Deus, suplicava um favor.

O que é realmente intrigante nesse relato bíblico é que o Senhor ouviu e atendeu ao que seu servo pediu. Ezequias, o único nessa história que não estava em posição de autoridade, como veremos adiante, não deu ouvidos à voz de Deus. Para entendermos que ele falhou no tocante a isso, é importante compreender primeiro o que exatamente o Altíssimo estava dizendo.

A frase "ponha em ordem a sua casa", como é traduzida na maioria das versões bíblicas, transmite a ideia de uma ação de organização. Contudo, algo a ser levado em conta é que a palavra empregada no original hebraico, e traduzida por "ponha em ordem", é *tsavah* (הוצ) e, de acordo com Strong, significa: "mandar, ordenar, dar as ordens, encarregar, incumbir, decretar, designar, nomear, comissionar".[1] Essa palavra foi utilizada 497 vezes no Antigo Testamento e, salvo dois versículos, sempre foi traduzida com o sentido de dar ordens, mandar ou decretar. Quando as Escrituras falam de ordem, no sentido de organização, costumam empregar outra palavra, *arak* (ךרע), que aparece 76 vezes nos manuscritos antigos. O seu significado no hebraico é "organizar, pôr ou colocar em ordem, ordenar, preparar, dispor, manejar, guarnecer, avaliar, igualar, dirigir, comparar, apresentar, tributar". Um exemplo da sua utilização é quando, falando da lâmpada que deveria permanecer acesa no tabernáculo, o Senhor instruiu Moisés: "[...] Arão e seus filhos *a conservarão em ordem*, desde a tarde até pela manhã, diante do SENHOR" (Êxodo 27.21).

Fazer essa distinção é de suma importância uma vez que isso determina o entendimento do que Deus estava exigindo de Ezequias. A única outra tradução, além de 2Reis 20.1, que sugere a ideia de "pôr em ordem", em vez de "dar ordens", é esta: "Quando Aitofel viu que o seu conselho não tinha sido seguido, preparou o jumento e foi para casa, na cidade em que morava. *Pôs em ordem os seus negócios* e se enforcou; morreu e foi sepultado na sepultura do seu pai." (2Samuel 17.23).

A palavra hebraica que foi traduzida por "pôs em ordem" é a *tsavah* (הוצ). E a que foi traduzida por "seus negócios" é *bayith* (תיב) cujo significado básico é "casa". Pode tanto referir-se à "moradia, habitação" como também ao "lar", a uma "casa no sentido de lugar que abriga uma família". Às vezes, ainda se referia aos "membros de uma casa, família" podendo, dentro do contexto correto, indicar "negócios domésticos". No mesmo versículo acima, quando lemos que Aitofel foi para casa, a palavra empregada no original também é *bayith* (תיב) e pode tanto sugerir o lugar em que ele morava, como também a sua família, com quem teria ido se encontrar.

Portanto, o que o relato bíblico destaca ter acontecido é que esse homem foi para a sua família e deu direcionamento sobre como deveriam ser as coisas em sua casa e/ou negócios dali por diante. A ideia de "dar ordens",

---

[1] STRONG, James. **New Strong's Exhaustive Concordance of the Bible** cit.

além de sustentar o significado da palavra, cabe na mensagem do versículo. E o mesmo pode ser dito da mensagem que o profeta Isaías entregou a Ezequias. Deus o estava advertindo sobre uma atitude de omissão que já caracterizava sua vida.

E qual foi o resultado da negligência?

A geração seguinte, teve como líder o pior de todos os reis de Judá, um homem que liderou um "avivamento para o mal" e desfez todo o avanço espiritual que seu pai havia produzido. Observe o relato bíblico:

> Manassés tinha doze anos de idade quando começou a reinar e reinou cinquenta e cinco anos em Jerusalém. A mãe dele se chamava Hefzibá. *Fez o que era mau aos olhos do* SENHOR, segundo as coisas abomináveis das nações que o SENHOR havia expulsado de diante dos filhos de Israel. Pois *reconstruiu os lugares altos que Ezequias, seu pai, havia destruído,* levantou altares a Baal, fez um poste da deusa Aserá como o que Acabe, rei de Israel, havia feito, prostrou-se diante de todo o exército dos céus e o serviu. Edificou altares na Casa do SENHOR, a respeito da qual o SENHOR tinha dito: 'Em Jerusalém porei o meu nome.' Também edificou altares a todo o exército dos céus nos dois átrios da Casa do SENHOR. E queimou o seu filho em sacrifício, adivinhava pelas nuvens, era agoureiro e tratava com médiuns e feiticeiros. *Fazia continuamente o que era mau aos olhos do* SENHOR, *para o provocar à ira.* Também pegou a imagem de escultura da deusa Aserá que ele tinha feito e a colocou no templo a respeito do qual o SENHOR tinha dito a Davi e a seu filho Salomão: "Neste templo e em Jerusalém, que escolhi de todas as tribos de Israel, porei o meu nome para sempre. E não farei com que os pés de Israel andem errantes, longe da terra que dei aos seus pais, desde que eles tenham o cuidado de fazer segundo tudo o que lhes tenho mandado e conforme toda a Lei que Moisés, meu servo, lhes ordenou." Eles, porém, não ouviram. *Manassés de tal modo os levou a andar errantes, que fizeram pior* do que as nações que o SENHOR tinha destruído de diante dos filhos de Israel" (2Reis 21.1-9).

O avivamento dos dias de Ezequias morreu juntamente com ele. Não passou para a geração seguinte. Aliás, raramente encontramos na história um avivamento que dure mais do que uma geração. Em nossa opinião, a razão principal disso é a falta de visão de continuidade geracional.

Obviamente o resultado de tal omissão foi trágico. Observe as declarações sobre o papel de Manassés em desviar uma geração e atrair sobre ela juízo divino: "Farei deles um objeto de espanto para todos os reinos da terra, *por causa de tudo o que Manassés*, filho de Ezequias, rei de Judá, *fez em Jerusalém*" (Jeremias 15.4).

> Então o Senhor falou por meio de seus servos, os profetas, dizendo:
>
> — Visto que *Manassés, rei de Judá, cometeu estas abominações*, fazendo pior do que tudo o que os amorreus fizeram antes dele, e também levou Judá a pecar com os ídolos dele, assim diz o Senhor, Deus de Israel: Eis que trarei uma desgraça tão grande sobre Jerusalém e Judá, que todo aquele que ouvir a respeito dela ficará com os dois ouvidos tinindo. Estenderei sobre Jerusalém o cordel de Samaria e o prumo da casa de Acabe. Eliminarei Jerusalém, como quem elimina a sujeira de um prato, limpando e virando-o de boca para baixo. Abandonarei o remanescente da minha herança e o entregarei nas mãos de seus inimigos; servirá de presa e despojo para todos os seus inimigos. Porque fizeram o que era mau aos meus olhos e me provocaram à ira, desde o dia em que os pais deles saíram do Egito até o dia de hoje. Além disso, Manassés derramou muitíssimo sangue inocente, até encher Jerusalém de um extremo ao outro, *sem falar do seu pecado, com que levou Judá a pecar, praticando o que era mau aos olhos do* Senhor (2Reis 21.10-16).

Muito triste! Como um homem de Deus, cheio de fé, alguém que viu vários milagres operados por Deus, um homem de avivamento que liderou uma geração a voltar aos caminhos do Senhor, pode negligenciar sua responsabilidade e uma clara advertência divina?

A pergunta é pertinente, uma vez que a tragédia continua se repetindo ao longo dos séculos. Mesmo em tempos recentes, é possível destacar homens e mulheres de fé e avivamento que negligenciaram a geração seguinte.

O registro bíblico sobre a falha de Ezequias é mais do que mera referência histórica. Vai além de nos informar sobre um momento específico na cronologia de um povo. Como Paulo esclareceu, falando sobre os episódios dos israelitas narrados no Antigo Testamento: "Estas coisas aconteceram com eles para servir de exemplo e foram escritas como advertência a nós, para quem o fim dos tempos tem chegado" (1Coríntios 10.11). A falta de visão de continuidade geracional do rei de Judá é um exemplo a não ser seguido. É uma advertência divina para não trilharmos o mesmo caminho errado.

O ERRO DE EZEQUIAS

Sabemos que Ezequias foi omisso, mas é importante entender alguns detalhes dessa omissão destacada nas Sagradas Escrituras. Isso pode nos ajudar a entender melhor o erro do rei de Judá e, assim, evitá-lo. Observemos, portanto, o registro bíblico:

> Nesse tempo, Merodaque-Baladã, filho de Baladã, rei da Babilônia, enviou cartas e um presente a Ezequias, porque soube que ele havia estado doente. Ezequias recebeu bem os mensageiros e lhes mostrou toda a casa do seu tesouro, a prata, o ouro, as especiarias, os óleos finos, o seu arsenal e tudo o que havia nos seus tesouros. Não houve nada em seu palácio nem em todo o seu domínio que Ezequias não lhes mostrasse. Então o profeta Isaías foi falar com o rei Ezequias e lhe disse:
>
> — Que foi que aqueles homens disseram e de onde vieram?
>
> Ezequias respondeu:
>
> — Vieram de uma terra distante, da Babilônia.
>
> Isaías perguntou:
>
> — O que eles viram no seu palácio?
>
> Ezequias respondeu:
>
> — Viram tudo o que há em meu palácio. Não houve nada nos meus tesouros que eu não lhes mostrasse.
>
> Então Isaías disse a Ezequias:
>
> — Ouça a palavra do Senhor: "Eis que virão dias em que *tudo o que houver* no seu *palácio*, isto é, *tudo o que os seus pais ajuntaram* até o dia de hoje, será levado para a Babilônia; *não ficará coisa alguma*, diz o Senhor. Alguns dos seus *próprios filhos*, gerados por você, serão levados, *para que sejam eunucos* no palácio do rei da Babilônia."
>
> Então Ezequias disse a Isaías:
>
> — *Boa é a palavra do* Senhor *que você falou*.
>
> Pois ele pensava assim: "Enquanto eu viver haverá paz e segurança" (2Reis 20.12-19).

O rei da Babilônia enviou uma comitiva com presentes para celebrar a restauração da saúde de Ezequias. O rei de Judá, por sua vez, mostrou aos mensageiros babilônicos todos os seus tesouros. Logo depois, o profeta Isaías chegou com uma mensagem que jamais, em hipótese alguma, poderia ser classificada como boa. Ele anunciou a Ezequias que este teria dois tipos distintos de perdas:

1) Todos **os bens** que ele ajuntara, bem como o que havia herdado de seus ancestrais, seriam todos levados embora. Todos os tesouros colecionados — e dos quais ele se orgulhava — se perderiam.

2) Seus **filhos**, assim como seus tesouros, também seriam levados para a Babilônia. Contudo, há um detalhe sobre o que lhes ocorreria que não pode ser ignorado: eles seriam feitos eunucos. Os eunucos eram castrados para que, enquanto servissem no palácio, não se tornassem uma ameaça ao harém do rei. Isso significava não apenas que os filhos de Ezequias seriam feitos escravos, levados a uma terra distante, como também que a continuidade geracional seria comprometida.

Contudo, mesmo diante de trágicas notícias como aquelas, a reação do rei de Judá foi, no mínimo, chocante. Como ele reagiu ao que ouviu? A Bíblia diz: "Então Ezequias disse a Isaías: — Boa é a palavra do Senhor que você falou" (2Reis 20.19a).

Ele classificou as notícias como boas!

Sério?! Quem, em sã consciência, ouve que perderá não apenas os seus tesouros, como também seus filhos, e, ainda assim, classifica a notícia como algo bom?

O fato é que a Palavra de Deus nos mostra porque ele via a notícia como algo bom: "Pois ele pensava assim: 'Enquanto eu viver haverá paz e segurança.'" (2Reis 20.19b). Em outras palavras, a conclusão era mais ou menos esta: "o importante é que não serei eu quem se dará mal", porque ele havia recebido de Deus uma prorrogação de vida de quinze anos. Como ele ainda nem havia gerado o sucessor ao trono, e a profecia indicava que os filhos é que sofreriam aquilo, o rei concluiu que o problema não seria dele.

O ato falho de Ezequias foi a mentalidade a respeito da nova geração. O importante, para ele, era seu próprio sucesso. E não importava o preço a ser pago pela geração seguinte desde que, no final das contas, tudo corresse bem para ele.

Não estamos falando de uma pessoa qualquer! Ezequias era um homem de fé e de avivamento. Seu impacto no avanço do Reino de Deus em sua geração é indiscutível, mas sua falta de entendimento de continuidade geracional também. Já vimos que as consequências dessa mentalidade egoísta foram drásticas. A geração seguinte, liderada por Manassés, se corrompeu terrivelmente.

Reconhecemos que esse erro não é exclusividade de Ezequias. Podemos afirmar, depois de mais de duas décadas pastoreando, que já vimos essa história se repetir muitas vezes. Já soubemos de tantos cristãos que, em nome do sucesso profissional — e até ministerial —, não apenas negligenciaram os filhos, como também "atropelaram" o próprio matrimônio. Trágico! A negligência no cuidado familiar tem causado muitos danos às famílias. E ninguém pode dar desculpas que não haja advertências bíblicas sobre isso.

A Palavra de Deus registra que Josué, após a conquista de Jericó, amaldiçoou quem viesse a reconstrui-la: "Maldito diante do Senhor seja o homem que se levantar e reedificar esta cidade de Jericó; com a perda do seu primogênito lançará os seus alicerces e, à custa do filho mais novo, lhe colocará os portões" (Josué 6.26). Séculos mais tarde, um certo Hiel, um betelita, aventurou-se a tal empreitada. O resultado? "Quando ele lançou os alicerces da cidade, morreu Abirão, seu filho primogênito; e, quando colocou os portões, morreu Segube, seu filho mais novo, segundo a palavra do Senhor, anunciada por meio de Josué, filho de Num" (1Reis 16.34). A moral da história é que qualquer tentativa de edificar, o que quer que seja (até mesmo o ministério), à custa dos próprios filhos, é um retrato de maldição, não de bênção.

Temos testemunhado, infelizmente, inúmeros pais que, à semelhança de Ezequias, buscaram seu sucesso e realização profissional à custa do matrimônio e/ou da saúde espiritual e emocional dos filhos; outros priorizaram o ministério à custa de seus próprios filhos. Trágico!

O ERRO DE SAMUEL

À semelhança de Ezequias, o profeta Samuel também foi, como líder e homem de Deus, alguém memorável. Era um homem de fé e avivamento e abençoou muito a sua geração. Encerrou a vida e o ministério com um incontestável testemunho de integridade. Foi um homem de caráter exemplar. A Palavra de Deus registrou:

> Então Samuel disse a todo o Israel:
>
> — Eis que atendi ao que vocês me pediram e constituí um rei sobre vocês. E agora eis que vocês têm o rei que irá adiante de vocês. Eu já sou velho e tenho os cabelos brancos, e os meus filhos estão com vocês. Eu tenho andado à frente de vocês *desde a minha mocidade até o dia de hoje*. Eis-me aqui. Testemunhem contra mim diante do Senhor e diante do seu ungido: de quem tomei o boi? De quem tomei o jumento? A quem enganei? A quem oprimi? E das mãos de quem aceitei suborno para encobrir com ele os meus olhos? Falem, e eu o restituirei.
>
> Então responderam:
>
> — Você não nos defraudou, nem nos oprimiu, nem tomou coisa alguma das mãos de ninguém.
>
> E ele lhes disse:
>
> — O Senhor é testemunha contra vocês e também o seu ungido é hoje testemunha de que *vocês não encontraram nada nas minhas mãos*.
>
> E o povo confirmou:
>
> — Deus é testemunha (1Samuel 12.1-5).

Fui ensinado a respeito da importância de não apenas começar, como também terminar bem a carreira. A atitude de Samuel de desafiar publicamente quem pudesse ter qualquer queixa contra ele me inspirou muito. Não estamos falando de um político prestando contas ao final de um mandato de apenas quatro anos. Ele fala de uma vida inteira — o que se entende na frase "desde a minha mocidade até o dia de hoje". Por muito tempo, baseado no registro do caráter do profeta, desejei — e até orei — terminar minha vida como ele. Até que comecei a dar mais atenção ao que a Bíblia ensina sobre a continuidade geracional da fé em Deus. Foi então que reparei no erro que Samuel cometeu.

Apesar de ter vivido de forma correta e abençoadora, esse homem de Deus não conseguiu transmitir sua aliança e seus valores ao coração dos próprios filhos. Observe o que as Escrituras falam acerca disso: "Quando Samuel ficou velho, constituiu os seus filhos por juízes sobre Israel.

O primogênito se chamava Joel, e o segundo se chamava Abias. Eles foram juízes em Berseba. Porém *os filhos de Samuel não andaram pelos caminhos dele; ao contrário, inclinaram-se à avareza, aceitavam suborno e perverteram o direito*" (1Samuel 8.1-3).

Triste, muito triste! Os filhos desse grande homem de Deus não andaram pelos caminhos de seu pai. E a Bíblia revela que esse foi o motivo de os israelitas pedirem um rei, um novo tipo de governante. Até então os juízes eram instrumentos de Deus para conduzir seu povo. Samuel, em seu ministério profético, conduziu a nação debaixo da liderança divina, num regime teocrático. Em sua velhice, o povo clamou por uma monarquia. Por quê? Justamente pelo fato de os filhos de Samuel terem se corrompido:

> "Então *todos os anciãos de Israel* se congregaram e foram falar com Samuel, em Ramá. Eles disseram:
>
> — Veja! *Você está ficando velho e os seus filhos não andam pelos seus caminhos.* Por isso, queremos agora que você nos constitua um rei, para que nos governe, como acontece em todas as nações.
>
> Mas *Samuel não gostou* desta palavra, quando disseram: 'Dê-nos um rei, para que nos governe'. Então Samuel orou ao Senhor. E o Senhor disse a Samuel:
>
> — Atenda à voz do povo em tudo o que lhe pedem. Porque não foi a você que rejeitaram, mas a mim, para que eu não reine sobre eles" (1Samuel 8.4-7).

Há detalhes nesses versículos que merecem nossa atenção. Isso nos ajudará a enxergar corretamente o contexto do que aconteceu nessa ocasião:

Todos os anciãos de Israel se reuniram com Samuel. Isso não fala de festividade ou confraternização. Os anciãos eram os que falavam pelo povo. Esses homens vieram de todas as tribos de Israel para essa reunião. Isso foi, como acontece em muitas igrejas dos nossos dias, uma espécie de assembleia geral extraordinária. Havia uma séria situação a ser resolvida, e esse nível de ajuntamento mostra a seriedade do assunto.

1. **A idade avançada do profeta foi destacada.** Esses anciãos começaram a reunião com um lembrete da velhice de Samuel. Por quê?

Estavam lembrando o homem de Deus que ele não duraria muito tempo e que em pouco tempo, morreria. Logo, a preocupação deles não era o que eles tinham debaixo da liderança desse memorável juiz, e sim, o que lhes sucederia quando ele falecesse.

2. **O problema da continuidade**. Esses anciãos não queriam a liderança dos filhos de Samuel porque, diferente do pai, eles haviam se corrompido. O profeta não gostou disso pois, segundo o que o Senhor lhe disse, ele sentiu-se rejeitado. Mas a verdade é que ninguém rejeitou Samuel. O próprio Deus garantiu isso a ele. O que esses anciãos rejeitaram foi a continuidade geracional da liderança do homem de Deus. Samuel constituiu seus filhos como juízes e, portanto, com sua morte, eles é que governariam a nação. Acreditamos que o teor da conversa daqueles anciãos era mais ou menos assim: "Samuel, somos gratos por sua vida e ministério. Você foi um justo juiz e cada palavra profética que você deu, em nome do Senhor, se cumpriu. Você trouxe o mover de Deus à nossa geração e foi um homem de conduta exemplar. Se você vivesse mais cem anos, nós continuaríamos com você. Contudo, isso não é possível, você está morrendo. Se seus filhos fossem uma extensão de quem você é, nós os aceitaríamos de bom grado, mas eles não se parecem nada com o que você é. E essa é a razão de não podermos aceitar esses juízes corruptos. Portanto, antes de você morrer e deixar esse problema para nós, queremos que você arrume isso. Queremos um rei".

Enxergar o dilema dos anciãos é essencial. Não podemos olhar para esse cenário de forma emocional. Será que você agiria diferente se estivesse no lugar de um daqueles anciãos?

O que mais nos chama a atenção, nessa história, é o que Deus disse depois: E o Senhor disse a Samuel: "— Atenda à voz do povo em tudo o que lhe pedem. Porque *não foi a você que* rejeitaram, mas a mim, para que eu não reine sobre eles" (1Samuel 8.7).

Obviamente havia fragilidade no relacionamento dos israelitas com Deus, e isso fica evidente quando seguimos a leitura dos versículos seguintes. O próprio Deus acusou o povo de tê-lo rejeitado. Contudo, há uma verdade que não pode ser ignorada: Samuel, com seu erro na criação dos filhos, contribuiu — e muito — para que a geração seguinte rejeitasse o Senhor. Isso provavelmente não teria acontecido se ele tivesse criado e treinado filhos que se movessem no mesmo nível de relacionamento com Deus e integridade que ele mesmo vivia.

Isso nos leva à mesma conclusão quando observamos o fim da vida do rei Ezequias. Não adianta ser um homem (ou mulher) de fé, de avivamento para a sua geração, e depois falhar na continuidade geracional. A missão dada aos pais, a da criação dos filhos, é da mais alta importância!

Que possamos, no temor do Senhor, entender e praticar a ordem que Deus deu a todos os progenitores: "E vocês, pais, não provoquem os seus filhos à ira, mas tratem de criá-los na disciplina e na admoestação do Senhor" (Efésios 6.4).

* * *

PERGUNTAS PARA REFLEXÃO

1. A expressão usada por Deus, na fala dirigida a Ezequias, de pôr em ordem sua casa, aponta para a importância do governo espiritual do lar. Como você avalia o exercício dessa sua responsabilidade paterna?

2. Ezequias demonstrou que, mesmo sendo pessoalmente dedicado ao Senhor, é possível negligenciar a vida espiritual da própria descendência. O que você julga que poderia fazer, como ação prática, para evitar esse erro na sua família?

3. Desde a época de Eli, Samuel sabia que o cuidado espiritual dos filhos não pode ser negligenciado e, ainda assim, repetiu a falha do sacerdote. Isso revela que é preciso mais do que informação para que a negligência não ocorra. O que você acredita que poderia auxiliá-lo a não ser omisso em guiar os filhos ao alvo principal?

4

O ALVO PERSONALIZADO

As Escrituras nos ensinam acerca da vontade de Deus para toda a humanidade. Ela envolve a *salvação* de todos os homens e o conhecimento da verdade: "Isto é bom e aceitável diante de Deus, nosso Salvador, que deseja que *todos* sejam salvos e cheguem ao pleno conhecimento da verdade" (1 Timóteo 2.3,4).

Há uma vontade divina que é comum a todos os seres humanos e pode ser classificada como *geral*. Ela é explicitada na Bíblia: a redenção humana e o consequente relacionamento que, a partir disso, poderá ocorrer. Há, ainda, outros aspectos e desdobramentos da vontade divina para todos os homens. O Criador nos escolheu nele, antes da fundação do mundo, para sermos santos e irrepreensíveis (Efésios 1.4). Fomos destinados de antemão, por Deus, para sermos conformes a imagem de seu filho Jesus (Romanos 8.29). Isso é parte do que definimos como o alvo geral, o propósito de Deus para toda a humanidade, em qualquer tempo e lugar.

Portanto, o primeiro — e principal — alvo na direção do qual nossos filhos-flechas devem ser atirados, como tratamos no capítulo anterior, diz respeito ao que todos os filhos deveriam ser levados a alcançar. Mas há um segundo alvo, que trataremos neste capítulo, e, diferente do primeiro, ele é personalizado. O fato é que cada pessoa tem o seu próprio propósito estabelecido por Deus.

Desse modo, como pais, além de guiar nossos filhos ao alvo geral, que é conhecer, amar e servir a Deus, também precisamos ajudar cada filho a entender tanto a sua vocação como também seu destino profético. Há um projeto personalizado para cada filho que precisa ser buscado em oração e compreendido por direção divina.

PLANO PERSONALIZADO

Assim como a vontade geral de Deus, o conceito do *plano personalizado* também nos é revelado nas Escrituras. "Os teus olhos viram a minha substância ainda informe, e no teu livro foram escritos *todos os meus dias*, cada um *deles* escrito e determinado, *quando nem um deles ainda existia*" (Salmos 139.16).

O Deus presciente não trabalha de improviso. Seus projetos para nossa vida antecedem o nosso nascimento. Seus planos foram traçados para cada um de nós quando nem sequer existíamos. O apóstolo Paulo entendeu e registrou essa verdade: "[...] Deus, que me separou *antes de eu nascer* e me chamou pela sua graça" (Gálatas 1.15). E o profeta Jeremias também recebeu revelação semelhante. Observe: "A palavra do SENHOR veio a mim, dizendo: '*Antes de formá-lo no ventre materno*, eu já o conhecia; e, *antes de você nascer*, eu o consagrei e constituí profeta às nações' " (Jeremias 1.4,5).

Encontramos mais um exemplo dessa verdade na conversa de Jesus com Pilatos, registrado no Evangelho de João:

> "Pilatos perguntou: — Então você é rei? Jesus respondeu: — O senhor está dizendo que sou rei. *Eu para isso nasci e para isso vim ao mundo*, a fim de dar testemunho da verdade. Todo aquele que é da verdade ouve a minha voz" (João 18.37).

O Senhor Jesus mostrou, nessa declaração, que ele veio a este mundo cumprir um plano pessoal, determinado antes de seu nascimento. Isso fica evidente no uso da frase "Eu para isso nasci e para isso vim ao mundo". Não estamos falando de algo que seja exclusividade de Davi, Paulo, Jeremias e Jesus.

O Pai celestial deseja usar todas as pessoas e, para isso, irá estrategicamente dispô-las em funções e lugares específicos. Percebemos que esse era o entendimento do povo de Deus na conversa entre Mardoqueu e Ester, sua prima, a quem ele havia criado como filha. A Bíblia nos revela que os judeus estavam debaixo de uma sentença de morte, e Mardoqueu recorreu à sua filha adotiva, orientando-a a interceder pelo seu povo perante o rei Assuero. Ela explicou que não poderia entrar na presença no rei sem ser chamada, caso contrário poderia morrer. Mardoqueu, cumprindo o seu papel de pai — não importando o fato de ser adotivo — orientou a rainha acerca do conceito do propósito de Deus. Observe:

> Quando Mardoqueu recebeu a resposta de Ester, mandou dizer-lhe: Não pense que pelo fato de estar no palácio do rei, você será a única entre os judeus que escapará, pois, se você ficar calada nesta hora, socorro e livramento surgirão de outra parte para os judeus, mas você e a família do seu pai morrerão. *Quem sabe se não foi para um momento como este que você chegou à posição de rainha?* (Ester 4.12-14; *NVI*)

A pergunta dele é bem reveladora: "Quem sabe se não foi para um momento como este que você chegou à posição de rainha?". Mardoqueu externou sua convicção de que Deus não daria uma posição como a de Ester em vão. Ele externava a crença de que o Senhor tem planos específicos para cada um de nós. É necessário discernir e cumprir o propósito divino.

Não se trata de *determinismo*, mas de um projeto que pode ou não ser cumprido. Ester poderia falhar em sua missão? Claro que sim! Seu pai adotivo afirmou: "se você ficar calada nesta hora, socorro e livramento surgirão de outra parte para os judeus, mas você e a família do seu pai morrerão". Mardoqueu explicou que, se Ester não cumprisse seu propósito, ela limitaria o plano pessoal que Deus lhe dera. Ela morreria e não seria o canal que o Senhor esperava que fosse. Mas ele também explicou que o plano geral para os descendentes de Abraão continuaria de pé, pois socorro e livramento viriam de outra parte. Quando pessoas falham no cumprimento do plano pessoal, são substituídas, como no caso de Saul que foi substituído por Davi, para que o plano geral para o povo de Deus não falhe.

Os pais, à semelhança de Mardoqueu, deveriam encorajar e direcionar seus filhos ao propósito divino. Devem ensiná-los acerca dessas verdades assim como Ester foi orientada. No próximo capítulo, falaremos mais acerca disso. Por ora, voltaremos ao entendimento do plano personalizado que o Criador tem para cada um de nós, incluindo os nossos filhos.

Vale destacar que, quando falamos do propósito de Deus para cada pessoa, isso não significa necessariamente um chamado ao ministério de tempo integral. O Senhor deseja usar seus filhos em todas as áreas da sociedade. É importante que os que são sal e luz estejam "infiltrados" em todos os lugares. É necessário que tenhamos pessoas exercendo influência em cada segmento da sociedade: professores, trabalhadores informais, advogados, operários, legisladores, empreendedores, vendedores, cientistas, juízes etc. Mardoqueu fala de Ester ser designada por Deus para ser rainha, mas Deus também usou uma moça que era escrava na casa de Naamã, o general sírio. Do mesmo modo, como usou a influência de José de Arimateia, homem rico e influente, perante Pilatos, para conseguir a liberação do corpo de Jesus para o sepultamento.

Uma vez estabelecido o entendimento de que Deus tem uma vontade — tanto geral como pessoal — para cada um de seus filhos, a pergunta a ser feita, é a seguinte: como podemos experimentar essa vontade?

COMO EXPERIMENTAR A VONTADE DE DEUS

Como *se cumpre* a vontade de Deus na vida de alguém?

Ela não se cumpre automaticamente. É preciso fazer nossa parte a fim de experimentá-la. Vemos isso em vários textos bíblicos. Se, por um lado, Deus deseja que todos se salvem (1Timóteo 2.4), por outro lado, o homem precisa crer (João 3.16) a fim de receber o cumprimento dessa vontade.

O apóstolo Paulo falou acerca da nossa responsabilidade e daquilo que devemos fazer primeiro para que, então — e somente então — a vontade divina se manifeste: "E não vivam conforme os padrões deste mundo, mas deixem que Deus os transforme pela renovação da mente, *para que possam experimentar* qual é a boa, agradável e perfeita vontade de Deus" (Romanos 12.2).

Não podemos supor que tudo será determinado e executado em nós de modo unilateral da parte de Deus. Ele nos criou com livre-arbítrio e, por isso, devemos escolher cooperar com ele no cumprimento do seu propósito. Embora não se possa negar que, por um lado, haja aspectos da manifestação da vontade e do propósito divinos que serão soberanamente cumpridos pelo Senhor, por outro lado, também há aquele aspecto que depende da interação humana.

Paulo, escrevendo a seu filho na fé, Timóteo, orientou-o sobre como ele poderia alcançar o seu destino profético. Algo que todo pai espiritual, que entende seu papel de ajudar os filhos, deveria fazer. Essa instrução é muito preciosa, pois revela que é necessário lutar para que a vontade divina se cumpra em nossa vida: "que faço a você, meu filho Timóteo, segundo as profecias que anteriormente foram feitas a seu respeito: que, firmado nelas, você *combata o bom combate*" (1Timóteo 1.18).

As palavras proféticas recebidas por Timóteo revelavam o plano e a vontade de Deus para a vida dele. Entretanto, não é porque o Senhor havia feito promessas que ele deveria esperar sentado. O apóstolo revelou a seu discípulo (e a nós) que temos responsabilidade no cumprimento da vontade divina. Devemos lutar e cooperar com o plano divino. Paulo não disse a ele para lutar pelo que ele quisesse. A orientação era que, firmado nas profecias, Timóteo lutasse para viver aquilo.

Deus fez uma promessa extraordinária a Abraão, de que nele seriam benditas todas as famílias da terra, mas também o responsabilizou a fazer a parte dele, condicionando a isso o cumprimento da sua promessa (Gênesis 18.19).

Não estamos falando de fazer tudo sozinhos. Estamos falando sobre o fato de que não devemos acreditar que Deus fará tudo sozinho. O Pai celestial nos chamou a cooperar com ele. E sua vontade deve ser buscada e requer de nós de sujeição, e rendição. Vejamos o que Tiago escreveu acerca disso:

> "Escutem, agora, vocês que dizem: 'Hoje ou amanhã, iremos para a cidade tal, e lá passaremos um ano, e faremos negócios, e teremos lucros.' Vocês não sabem o que acontecerá amanhã. O que é a vida de vocês? Vocês não passam de neblina que aparece por um instante e logo se dissipa. Em vez disso, deveriam dizer: '*Se Deus quiser*, viveremos, como também faremos isto ou aquilo' " (Tiago 4.13-15).

Quais são as lições que aprendemos nesses versículos?

1. **Não devemos planejar a nossa vida ou tomar decisões sozinhos**. Devemos sujeitar tudo a Deus, buscando viver a vontade dele; a oração tem um papel fundamental nisso.

2. A sujeição à vontade divina não depende de conhecer o propósito. Mesmo quando não sabemos qual é a vontade divina, como no exemplo de Tiago, sobre em qual cidade negociar, devemos fazer declarações de sujeição: "se Deus quiser".

Infelizmente o conceito de oração, para muitos cristãos, é incompleto. Eles acreditam que a oração é o meio através do qual conseguirão de Deus tudo o que eles querem. Esse conceito pode até ser um aspecto da verdade, mas está longe de ser a definição completa. De acordo com as Escrituras, a oração também é o meio através do qual Deus consegue de nós o que ele quer!

O ambiente de oração deveria ser marcado não apenas pela busca da nossa própria vontade, mas principalmente pela busca da vontade de Deus. É o que aprendemos com o exemplo de Jesus, no jardim Getsêmani. Ele orou assim: "não seja como eu quero, *e sim* como tu queres" (Mateus 26.39). Nosso Senhor também nos ensinou a orar pelo cumprimento da vontade de Deus e o estabelecimento do seu governo: "seja feita a tua vontade" (Mateus 6.10).

Contudo, entender e buscar o propósito celestial, antes de ser responsabilidade dos filhos, é papel dos pais. Até que cresçam, os filhos não terão entendimento e maturidade para isso. E precisam da orientação e ajuda dos pais. Nós aprendemos essas verdades com a Palavra de Deus e também com experiências que vivemos dos dois lados; primeiramente como filhos e posteriormente como pais.

As histórias a seguir, contadas individualmente, ilustram a importância da participação dos pais na busca do entendimento do propósito divino.

KELLY

Quando terminei o Ensino Médio, estava cheia de dúvidas sobre qual seria o passo seguinte a ser dado. Havia feito o vestibular em diferentes universidades e para cursos distintos. Na época, já estava namorando o Luciano e pensávamos em casamento.

Recordo de conversar com os meus pais e pedir que eles me dissessem o que eu deveria fazer, e eu obedeceria. Não queria errar. Meu pai sabiamente me disse que essa decisão era minha, que, se ele dissesse o que eu deveria fazer e eu me arrependesse, eu o culparia. Resumindo, era hora de fazer as minhas escolhas e me responsabilizar por elas.

Obviamente meus pais estavam considerando as opções comigo e todas elas eram boas. A que mais me preocupava era o casamento, porque diferente da aliança matrimonial, o curso universitário poderia ser mudado depois se eu concluísse ter errado.

Então comecei a orar insistentemente para que Deus me mostrasse os passos a serem dados. E uma noite tive um sonho muito especial. Ele me ajudou a escolher o curso a ser feito. O curso apontava para a cidade onde o Luciano estava pastoreando, o que indicava que seria possível seguir com os planos de casamento.

Pedi ao Senhor que falasse com minha mãe, o que ele graciosamente fez. Ainda recordo aquela manhã em que estava me preparando para sair para o colégio e minha mãe preparava o café da manhã, chorando. Perguntei a ela o que estava acontecendo e ela me disse: "Estou chorando porque você vai morar longe...".

O Senhor havia falado com ela através de um sonho. Ela me via parada em uma estação ferroviária, pronta para embarcar. Um trem se aproximava rapidamente, e ela ficava preocupada com a velocidade do trem porque ele não estava freando como usualmente faria em uma parada. Ela me via me preparando para saltar no trem mesmo sabendo que ele não iria parar. Quando eu pulei, ela via a cena em câmera lenta. Havia um único vagão com a porta aberta. Em perfeita sincronia, eu acertava o tempo de passar pela porta. Ela ainda pôde ver o vagão por dentro e reparar que era todo almofadado (o que removeu a preocupação dela de que eu me machucasse). Após constatar que eu havia sido confortavelmente acolhida, a velocidade do trem voltava ao normal, seguindo viagem.

Ela, então, entendeu que Deus estava dizendo que estava no controle. Tudo parecia estar acontecendo muito rápido. Requeria um salto de fé, mas tudo já estava preparado para que eu ficasse bem.

Quando ela compartilhou o sonho comigo, fiquei em paz para seguir com os planos de mudar de cidade, estado, iniciar a faculdade e me casar. Deus é tão bom e guia os seus filhos. Quanta paz em ter o coração dos meus pais me apoiando!

A história a seguir é contada pelo Luciano e confirma a importância da participação dos pais no encorajamento do propósito divino:

LUCIANO

Quando eu tinha cerca de 8 anos de idade, numa escola bíblica de férias, ouvi certa missionária que trabalhava em uma tribo indígena não alcançada, na Amazônia. Ela falou do seu trabalho e da importância de o evangelho ser anunciado a todos. Leu o texto bíblico que traz a pergunta divina "A quem enviarei, e quem há de ir por nós?" (Isaías 6.8), e desafiou quem gostaria de responder positivamente. O meu coração ardeu de forma inexplicável e, sem entender na época que aquilo era o chamado divino, me ofereci ao serviço divino, respondendo "Eis-me aqui, envia-me a mim". A partir daquele dia, toda vez que alguém questionava sobre o que eu queria ser quando crescesse, eu dizia que seria um missionário.

Quando eu estava na pré-adolescência, minha mãe me advertiu várias vezes: "Meu filho, essa será uma fase de descobertas que podem ameaçar não apenas sua fé, como também seu chamado. Tome muito cuidado. Nunca perca de vista o chamado de Deus para você".

Não foi minha mãe que me mandou servir a Cristo. Foi Deus quem me chamou um dia. Mas até hoje me questiono se, sem a participação dela, mantendo-me consciente do meu chamado e da responsabilidade de cumpri-lo, eu teria chegado aonde cheguei.

É claro que sempre há os que rompem o propósito divino e não têm apoio dos pais, quer por serem ausentes, quer por não serem cristãos. Mas isso não justifica uma atitude de omissão dos pais que conhecem a Deus e sua Palavra. O apoio dos meus pais, tanto para entender como para cumprir meu destino profético foi essencial. Adiante falarei mais sobre isso.

Percebemos, ao longo dos anos, que, ao ensinar nossos filhos sobre o plano divino personalizado, além de prepará-los para corresponderem ao propósito, também lhes comunicamos senso de valor e uma percepção maior do relacionamento pessoal com Deus. Por isso, sugerimos aos pais que esses valores sejam comunicados intencionalmente, em vez de apenas percebidos acidentalmente.

CRIE OS FILHOS PARA SERVIREM AO PROPÓSITO

Não podemos ignorar a importância de participarmos, como pais, da descoberta do propósito de Deus para nossos filhos. Será que Ester, sem a ajuda de Mardoqueu, seu pai adotivo, teria compreendido e vivido o propósito divino?

No entanto, mais do que ajudar nossos filhos a entenderem e trilharem o seu destino profético, devemos educá-los com a mentalidade de que há um propósito e de que eles devem tanto descobrir como servir ao plano personalizado de Deus. Isso deveria ser parte da criação de todo filho de pais cristãos.

Não podemos criar os filhos para nós mesmos. O foco deve ser *o propósito divino*. Mesmo que nos custe ter que abrir mão de tê-los por perto. Foi o que fizeram os pais de Rebeca, que se casou com Isaque. Ouviram o que ela desejava, concordaram que Deus estava na proposta de levá-la para longe e a liberaram e abençoaram para que vivesse o melhor de Deus:

> Disseram:
>
> — Vamos chamar a moça para ver o que ela diz.
>
> Chamaram, pois, Rebeca e lhe perguntaram:
>
> — Você quer ir com este homem?
>
> Ela respondeu:
>
> — Sim, quero.
>
> Então deixaram que Rebeca, a irmã deles, partisse, junto com a sua ama, com o servo de Abraão e os homens que estavam com ele. *Abençoaram Rebeca* e lhe disseram:
>
> — Que você, nossa irmã, seja a mãe de milhares de milhares, e que a sua descendência tome posse das cidades dos seus inimigos.
>
> Então Rebeca se levantou com as suas servas e, montando os camelos, seguiram o homem. O servo de Abraão tomou Rebeca e partiu (Gênesis 24.57-61).

O alvo das flechas costuma estar longe. A flecha é uma arma para se atirar à distância, não foi planejada para o combate corpo a corpo. Se Deus comparou, nas Escrituras, os filhos a flechas, significa que devemos estar abertos a possibilidade de lançá-los a alvos distantes. No momento em que escrevemos o livro, nossos dois filhos não apenas moram fora de casa, como também moram fora do país.

Se deixássemos nossas emoções nos governarem, faríamos de tudo para mantê-los próximos de nós. Mas entendemos, muitos anos antes de eles crescerem, que esse era o propósito do Senhor para eles. E o plano dele é sempre perfeito!

Em várias conversas telefônicas, à distância, repetimos por vezes aos nossos filhos: "Sentimos muito a falta de vocês porque vocês são preciosos demais. Mas estamos felizes porque vocês estão no lugar certo, dentro da vontade do Pai celestial. Nunca deixem a saudade desanimar vocês ou tirar o foco do destino profético. Amamos muito vocês a ponto de querer que vivam a plenitude do propósito divino, mesmo que custe o sacrifício da proximidade, suportando a distância".

* * *

PERGUNTAS PARA REFLEXÃO

1. Reconhecer que há um plano divino personalizado para cada filho é uma coisa. Discerni-lo ou experimentá-lo é outra. Contudo, a função mais importante dos pais, independentemente de entender ou não os detalhes desse plano, é orar continuamente pelo cumprimento da vontade divina. Você ora para que a vontade de Deus se cumpra na vida de seus filhos?

2. Além da responsabilidade dos pais, como guardiães do destino profético dos filhos, de orar e interceder para que a vontade de Deus se cumpra neles, também é necessário ensinar os filhos sobre essa rendição contínua ao Senhor mediante a oração deles. Seus filhos já têm idade para serem ensinados e encorajados a orar? Se sim, você já tem feito isso?

3. Os desdobramentos na vida de cada filho não devem ser comparados. É importante que você ensine seus filhos que o Senhor chama cada um para um tipo específico de dom, tarefa ou propósito. A maior realização está no cumprimento do propósito. Você já conversa com eles sobre a importância de não se compararem e procurarem entender o que o Criador quer de cada um?

4. Você concorda que cultivar a consciência de que os filhos são proprie-dade divina ajuda os pais a não os criar de forma egoísta? Se sim, o que ajudaria a fortalecer essa consciência?

5
RESPONSA-BILIDADE DOS PAIS

De quem é a responsabilidade de fazer a flecha acertar o alvo? Se na analogia bíblica os filhos são as flechas, então o guerreiro responsável por lançá-las representa os pais. O arco e as flechas estão nas mãos deles: "Como flechas na mão do guerreiro, assim são os filhos da sua mocidade. *Feliz* o homem que enche deles a sua aljava; não será envergonhado, quando enfrentar os seus inimigos no tribunal" (Salmos 127.4,5).

A frase "feliz o homem que enche deles a sua aljava" aponta nessa direção. O *homem* que enche sua aljava é o pai que gerou os filhos. Neste capítulo trataremos da responsabilidade dos pais quanto a encaminhar os filhos para o alvo.

Devemos buscar a direção de Deus para eles e, baseados nisso, encaminhá-los a acertarem o alvo. Atentemos para mais um exemplo bíblico:

> Isaque orou ao Senhor por sua mulher, porque ela era estéril. O Senhor ouviu as orações dele, e Rebeca, a mulher de Isaque, ficou grávida. Os filhos lutavam no ventre dela. Então ela disse: "Por que isso está acontecendo comigo?' *E ela foi consultar o Senhor. E o Senhor lhe respondeu*: 'Duas nações estão no seu ventre, dois povos, nascidos de você, se dividirão: um povo será mais forte do que o outro, e o mais velho servirá o mais moço."

Cumpridos os dias para que desse à luz, eis que havia gêmeos no seu ventre. Nasceu o primeiro, ruivo, todo revestido de pelo; por isso, deram-lhe o nome de Esaú. Depois, nasceu o irmão. Com a mão segurava o calcanhar de Esaú, e por isso lhe deram o nome de Jacó. Isaque tinha sessenta anos quando Rebeca deu à luz (Gênesis 25.21-26).

Vale ressaltar, antes de avaliar o texto bíblico, que o apóstolo Paulo esclareceu, escrevendo aos coríntios, o propósito dos relatos bíblicos do Antigo Testamento: "*Estas* coisas aconteceram *com eles para servir de exemplo e foram escritas como advertência a nós*, para quem *o fim* dos *tempos tem chegado*" (1Coríntios 10.11). Trata-se de mais do que um registro histórico que detalha a cronologia de um povo. São orientações direcionadas a nós com um propósito específico: "tudo o que *no passado* foi escrito, para *o* nosso ensino foi escrito" (Romanos 15.4).

Com isso em mente devemos entender que lições podemos extrair desse episódio. Encontramos algumas lições preciosas nesse texto bíblico:

1. **Rebeca buscou respostas**. Algo que percebemos ser comum em muitos relatos bíblicos de direcionamentos divinos é que eles normalmente são precedidos pelo anseio e pela busca por respostas. Por exemplo, quando foi interpretar o sonho de Nabucodonosor, o profeta Daniel, antes de transmitir uma mensagem importantíssima sobre os desdobramentos do propósito divino na terra, declarou ao rei dos caldeus: "Quando o senhor, ó rei, estava na sua cama, *surgiram em sua mente* pensamentos *a respeito do* que *vai* acontecer no futuro. *Deus*, que revela *os* mistérios, *revelou ao senhor* o que vai acontecer" (Daniel 2.29). Este anseio e busca por respostas costuma ser o ingrediente que provoca as revelações. Muitos pais jamais entenderão a vontade de Deus para seus filhos porque não a buscam.

2. **Deus respondeu a Rebeca**. O fato de o clamor da esposa do patriarca Isaque ter sido ouvido e atendido não deveria nos causar espanto. Foi Deus mesmo quem prometeu: 'Clame a mim e *eu* responderei e *lhe direi* coisas *grandiosas* e *insondáveis* que *você* não *conhece*' (Jeremias 33.3, *NVI*). Devemos crer que é possível alcançar, ainda que de forma gradual — nem sempre tão detalhada quanto gostaríamos —, a resposta divina.

3. A Palavra foi confirmada depois. Após a palavra profética que apontara não apenas a presença de gêmeos no ventre de Rebeca, como também o fato de serem meninos (o que se deduz pela menção de serem cabeças de nações), numa época em que não havia exames de ultrassom, a confirmação da predição se deu por ocasião do nascimento. De acordo com as Escrituras, toda profecia deve ser julgada (1Coríntios 14.29). No Novo Testamento, diferente do Antigo, ninguém deve ser dirigido por profecias ou tomar decisões com base nelas, pois devemos viver a direção pessoal do Espírito Santo (Romanos 8.14). Mas, muitas vezes, elas são uma confirmação da direção que recebemos e, se, por um lado, não devem nos dirigir, por outro também não devem ser desprezadas (1Tessalonicenses 5.20).

Sempre oramos pelo futuro dos nossos filhos e pela capacidade de, com a graça do Senhor, entender o propósito divino para eles. Nossas experiências com a direção de Deus para cada filho não têm sido iguais. Nem poderiam! Eles são pessoas diferentes, com propósitos distintos, que chegam à nossa vida em momentos singulares. Da mesma forma, a orientação que cada pai pode receber acerca de seus filhos também não será igual à de outros pais. Dito isso, neste capítulo queremos compartilhar mais experiências que tivemos na criação de nossos filhos.

A história a seguir exemplifica o fato de que, é possível receber direcionamento enquanto oramos e buscamos de Deus entendimento sobre o propósito dele para nossos filhos:

> **LUCIANO**
>
> Já orávamos por nossos filhos antes e depois do nosso casamento. Mas, antes da gravidez do Israel, nosso primogênito, o Espírito Santo falou comigo. Recordo-me exatamente onde eu estava. Morávamos num apartamento cujo prédio, por não ser tão alto, não tinha elevador. Eu estava na escada, em algum andar entre o nosso apartamento e o térreo, quando ouvi uma voz que me dizia: "Você terá um filho homem e ele será chamado pelo meu nome". Aquilo foi muito nítido e, embora eu não tenha muitas experiências em ouvir o Senhor dessa maneira, soube, naquele mesmo instante, que era uma mensagem divina.

Sempre tivemos tanto um desejo como uma impressão interior, quando orávamos e conversávamos sobre o assunto, de que teríamos dois filhos e que seria um casal. E minha esposa frequentemente mencionava que preferia ter uma menina primeiro, pelo fato de ser novidade para ela lidar com um menino. Quando cheguei em casa disse à Kelly: "Aquela filha que você gostaria que viesse antes terá que esperar um pouco. Sua primeira gravidez será um menino. Deus falou comigo acerca disso. E, qualquer que seja o nome dele, deverá ter, no começo ou no fim, a sílaba 'El' (que em hebraico significa Deus), pois fui instruído que o nome dele deverá trazer o nome do Senhor". Na Bíblia, os nomes estão relacionados à identidade. Essa é a razão pela qual algumas vezes vemos Deus mudando o nome de algumas pessoas.

Mais de um ano depois a Kelly engravidou e, pelo exame de ultrassom, soubemos ser um menino. Tínhamos uma lista enorme de sugestões de nomes que traziam o nome de Deus em um de seus fonemas como Eliel, Rafael, Miguel, Gabriel etc. Mas seguíamos orando por direção celestial para a escolha do nome dele. E, um dia, a Kelly teve um sonho e, nele, ouvia o Senhor dizendo que o nome do menino deveria ser Israel e que, à semelhança do patriarca da Bíblia, ele seria alguém que luta e prevalece (Gênesis 32.28). Para ser sincero, esse nome nem estava em nossa lista! Conheci muitos filhos de crentes com o nome Israel e quase todos eles achavam que o pastor estava falando deles na hora da pregação [...] Contudo, queríamos e orávamos pela vontade de Deus para nossos filhos e, entendendo ser uma direção de Deus — que trouxe muita paz e tranquilidade ao nosso coração — decidimos que assim seria.

Por que Deus interferiria na escolha do nome de um filho?

Porque o nome fala de identidade, e isso está conectado ao propósito divino. Não estamos dizendo que não temos liberdade de escolher o nome dos nossos filhos. Escolhemos o da nossa filha, a Lissa, e não recebemos nenhuma direção divina para fazer diferente. O ponto abordado não é sobre ter uma experiência de direção celestial na escolha dos nomes dos filhos; é sobre a importância de buscarmos tanto a orientação do alto como o cumprimento do projeto celestial para a vida deles.

APRENDENDO COM OS PAIS DE MOISÉS

Os pais de Moisés, cujos nomes eram Anrão e Joquebede (Êxodo 6.20; Números 26.59), nos ensinam uma lição tremenda sobre a responsabilidade dos pais em entender e encaminhar seus filhos ao propósito divino.

Esse episódio bíblico precisa ser entendido de forma abrangente e, para tal, é preciso enxergar o seu pano de fundo. O rei egípcio expressou o temor que passou a existir devido à grande multiplicação dos israelitas:

> Mas os filhos de Israel foram fecundos, aumentaram muito, se multiplicaram e se tornaram extremamente fortes, *de maneira que a terra se encheu deles*. Nesse meio-tempo, levantou-se um novo rei sobre o Egito, que não havia conhecido José. Ele disse ao seu povo:
>
> — Eis que o povo dos filhos de Israel é mais numeroso e mais forte do que nós. Vejam! Precisamos usar de astúcia para com esse povo, *para que não se multiplique*, e para evitar que, em caso de guerra, ele se alie aos nossos inimigos, lute contra nós e saia da terra. (Êxodo 1.7-10)

O faraó foi convincente, e o resultado foi claro: "*Então os egípcios, com tirania, escravizaram os filhos de Israel*" (Êxodo 1.13). Contudo, mesmo sob grande opressão, eles seguiam multiplicando-se. Ainda atemorizado, o rei do Egito ordenou as parteiras que matassem os meninos hebreus que nascessem e deixassem as meninas vivas, mas elas não lhe obedeceram (Êxodo 1.15-17). A partir disso, a perseguição se intensificou ainda mais, e uma ordem foi dada aos egípcios para aniquilarem os meninos hebreus que nascessem, jogando-os no rio: "Então Faraó deu ordem a todo o seu povo, dizendo:— Joguem no rio Nilo todos os meninos hebreus que nascerem; quanto às meninas, deixem viver" (Êxodo 1.22).

Foi depois dessa ordem do faraó que Moisés nasceu e seus pais o esconderam, a fim de evitar que o decreto real se cumprisse na vida do filho deles.

E qual a razão desses pais terem escondido a criança?

De acordo com as Escrituras, eles não apenas lutaram pela sobrevivência de seu filho, como também discerniram quem era a criança que lhes foi confiada. "Um homem da casa de Levi casou com uma mulher da mesma tribo. A mulher ficou grávida e deu à luz um filho. *Vendo que o menino era bonito, escondeu-o* durante três meses." (Êxodo 2.1,2).

Algo curioso é que as Escrituras mostram que a razão pela qual seus pais o esconderam, para preservar sua vida, é porque "o menino era *bonito*". Essa frase merece a nossa atenção pois é repetida mais de uma vez no Novo Testamento. E essa repetição está mais ligada à ênfase do que a mera informação. "Pela fé, Moisés, depois de nascer, foi escondido por seus pais durante três meses, *porque viram que era um menino bonito* e não temeram o decreto do rei." (Hebreus 11.23).

Nunca tomamos conhecimento de pais que acharam feios os seus filhos recém-nascidos. E ainda que alguns possam ser mais providos de beleza física que outros, dificilmente essa seria a razão pela qual os pais tentariam livrar um filho da morte.

Certamente que nós, como pais, lutaríamos para proteger a vida dos nossos filhos independentemente do nível de beleza física que eles tivessem. O valor deles jamais seria atrelado a quão bonitos fossem.

Por que questionar esse motivo? Não estamos tentando dizer que não foi isso que aconteceu. De forma alguma! O questionamento é se estamos ou não entendendo o que a Palavra de Deus diz.

Entendemos que há algo mais por trás da declaração de que "o menino era bonito". E a Bíblia nos dá margem para compreender que há mais por trás dessa afirmação do que costumamos perceber. Basta seguirmos "juntando as peças do quebra-cabeça".

Estevão, o primeiro mártir, em seu último discurso que antecedeu o seu apedrejamento, foi quem interpretou essa frase.

> Este outro rei tratou com astúcia a nossa gente e torturou os nossos pais, a ponto de forçá-los a abandonar seus meninos recém-nascidos, para que não sobrevivessem. Por esse tempo nasceu Moisés, que *era formoso aos olhos de Deus*. Durante três meses ele foi mantido na casa de seu pai. Quando tiveram de abandoná-lo, a filha de Faraó o recolheu e criou como seu próprio filho. (Atos 7.19-21)

Esse acréscimo de Estevão, dizendo que Moisés era formoso "aos olhos de Deus", muda tudo! Os pais de Moisés não o esconderam apenas por ser uma criança mais bela que as demais em uma mera perspectiva natural. Eles discerniram um propósito diferenciado para aquela criança que alimentou, ainda mais, a pré-disposição paterna que já tinham de lutar pela vida de um filho.

Qual é o significado da palavra "formoso" utilizada na Bíblia?

No texto de Êxodo a palavra hebraica traduzida por "bonito" é *towb* (בוט) e significa: "bom, agradável, amável, excelente, rico, considerado valioso, apropriado, conveniente, melhor, satisfeito, feliz, generoso, benigno, correto". Acreditamos que os pais de Moisés tiveram a percepção do propósito divino para ele e, por isso, o menino foi *considerado valioso* numa proporção maior do que seria apenas como um filho. Talvez essa seja a razão de a Palavra de Deus enfatizar que os pais de Moisés decidiram crer em favor dele: "Pela fé, Moisés, *depois de* nascer, foi escondido por seus pais" (Hebreus 11.23). Normalmente deduzimos que eles apenas exerceram fé para que a criança sobrevivesse ao decreto de morte, mas eles viram algo mais naquela criança e creram que ela sobreviveria para viver o plano divino que lhe fora determinado.

Ah, se todos os pais discernissem o destino profético de seus filhos e usassem a fé em favor deles!

Além da percepção do plano divino para Moisés, há outra lição que podemos aprender com seus pais. É interessante observar a atitude dos pais de Moisés. Por um lado, não temeram desobedecer à ordem do rei (Hebreus 11.23). Por outro lado, eles não fizeram isso por muito tempo. Estevão afirmou que, após três meses do nascimento de Moisés, chegou o momento em que tiveram de abandoná-lo (Atos 7.21). Foi aí que Anrão e Joquebede encontraram uma "brecha na lei". O decreto do faraó era para jogar os meninos hebreus no rio Nilo (Êxodo 1.22), e os pais de Moisés fizeram exatamente isso! Mas, como a ordem do rei nada dizia a respeito de utilizar um cesto de junco para evitar que o menino se afogasse, eles aproveitaram e fizeram isso também... "Não podendo, porém, escondê-lo por mais tempo, pegou um cesto de junco, tapou os buracos com betume e piche e, pondo nele o menino, largou o cesto no meio dos juncos à beira do rio. A irmã do menino ficou de longe, para ver o que ia acontecer com ele" (Êxodo 2.3,4).

Ainda que seus pais soubessem da chance de, naquela pequenina "embarcação infantil", não haver afogamento, havia muitos outros riscos. Animais poderiam ter acesso ao cesto e ao bebê e, mesmo que isso não acontecesse, nada garantiria que a criança não permaneceria abandonada. O que fizeram foi mais do que tentar a sorte ou brincar com as probabilidades. Colocar aquele bebê num cesto, nas águas do Nilo, foi um ato de fé e confiança plena em Deus.

A filha de Faraó desceu para se banhar no rio, e as moças que tinham vindo com ela passeavam pela margem. Quando ela viu o cesto no meio dos juncos, mandou que uma das criadas fosse buscá-lo. Abrindo o cesto, viu a criança; e eis que o menino chorava. Ela teve compaixão dele e disse:

— Este é um menino dos hebreus.

Então a irmã do menino perguntou à filha de Faraó:

— Quer que eu vá chamar uma das hebreias para que sirva de ama e crie esta criança para a senhora?

A filha de Faraó respondeu:

— Vá.

A moça foi e chamou a mãe do menino. Então a filha de Faraó disse à mulher:

— Leve este menino e amamente-o para mim; eu darei um salário para você.

A mulher pegou o menino e o criou. Quando o menino já era grande, ela o levou à filha de Faraó, da qual ele passou a ser filho. Esta lhe deu o nome de Moisés e disse:

— Porque das águas o tirei. (Êxodo 2.5-10)

Isso nos ensina a, de modo semelhante, confiarmos no Senhor para os desdobramentos de seus planos na vida de nossos filhos. Nós criamos e entregamos nossos filhos aos cuidados divinos manifestando esse tipo de fé e confiança em cada fase da vida deles.

As Escrituras afirmam que Miriã, a irmã de Moisés, "ficou de longe, para ver o que ia acontecer com ele". Provavelmente seus pais a enviaram mais para observar o desfecho da história do que para tentar resgatar o menino. Isso viabilizou outro aspecto importante na formação de Moisés. Sua mãe, antes proibida de criar o filho, agora recebe salário para fazê-lo. Até que o entregasse à filha de faraó, quando já estava grande, Joquebede teve a oportunidade de cooperar na formação da identidade do homem que se tornaria o maior libertador e legislador que a nação de Israel teve. Analisaremos posteriormente a importância dessa questão da formação da identidade.

APRENDENDO COM OS PAIS DE SANSÃO

Outra lição bíblica sobre a responsabilidade dos pais quanto ao destino profético dos filhos pode ser aprendida com os pais de Sansão, um dos *juízes* de Israel. Depois da morte de Josué os israelitas, que haviam entrado na terra de Canaã, não tinham governo ou liderança formal. Foi nessa época que Deus começou a levantar juízes:

> Josué, filho de Num, servo do Senhor, morreu com a idade de cento e dez anos. Foi sepultado em sua própria herança, em Timnate-Heres, na região montanhosa de Efraim, ao norte do monte Gaás.
>
> Toda aquela geração também morreu e foi reunida aos seus pais. E, depois dela, se levantou uma nova geração, que não conhecia o Senhor, nem as obras que ele havia feito por Israel. Então os filhos de Israel fizeram o que era mau aos olhos do Senhor, servindo os baalins. Deixaram o Senhor, Deus de seus pais, que os havia tirado da terra do Egito, e seguiram outros deuses, os deuses dos povos que havia ao redor deles, e os adoraram, e provocaram o Senhor à ira. Porque deixaram o Senhor e serviram Baal e Astarote. A ira do Senhor se acendeu contra Israel e ele os entregou nas mãos de ladrões que os despojavam do que possuíam. Ele os entregou nas mãos dos seus inimigos ao redor; e não puderam mais resistir a eles. Por onde quer que fossem, a mão do Senhor estava contra eles para seu mal, como o Senhor lhes tinha dito e como lhes havia jurado. E estavam em grande aperto.
>
> Então o Senhor *suscitou* juízes, que os livraram das mãos dos que os atacavam e roubavam. Mas eles não obedeceram aos seus juízes; pelo contrário, se prostituíram com outros deuses e os adoraram. Depressa se desviaram do caminho por onde andaram seus pais na obediência aos mandamentos do Senhor; e não fizeram como eles.

Quando o Senhor lhes suscitava juízes, o Senhor estava com o juiz e os livrava das mãos dos seus inimigos, todos os dias daquele juiz; porque o Senhor se compadecia deles ante os seus gemidos, por causa dos que os afligiam e oprimiam. Mas, quando o juiz morria, eles voltavam a viver como antes e se tornavam piores do que os seus pais, seguindo outros deuses, servindo-os e adorando-os. Não abandonavam nenhuma das suas práticas, nem a sua obstinação." (Juízes 2.8-19).

Esse período durou cerca de duzentos anos,[1] até o profeta Samuel, o último dos juízes, ungir Saul, o primeiro rei de Israel. A Bíblia revela que Sansão julgou Israel durante vinte anos (Juízes 16.31) e que "naqueles dias, não havia rei em Israel; cada *um* fazia o que *achava mais certo*" (Juízes 17.6).

Sansão foi o décimo-terceiro juiz de Israel. O nome do seu pai era Manoá e o nome da sua mãe não aparece no relato bíblico, embora ela tenha sido a primeira a receber de Deus a revelação sobre o filho.

Os filhos de Israel tornaram a fazer o que era mau aos olhos do Senhor, e por isso ele os entregou nas mãos dos filisteus durante quarenta anos.

Havia um homem de Zorá, da linhagem de Dã, chamado Manoá, cuja mulher era estéril e não tinha filhos. O Anjo do Senhor apareceu a essa mulher e lhe disse:

— Eis que você é estéril e nunca teve filhos, mas você ficará grávida e dará à luz um filho. Por isso, tenha cuidado e não beba vinho nem bebida forte, e não coma nenhuma comida impura. Porque eis que você ficará grávida e dará à luz um filho sobre cuja cabeça não passará navalha. O menino *será nazireu* consagrado a Deus desde o ventre de sua mãe, e ele *começará a livrar Israel do poder dos filisteus*. (Juízes 13.1-5)

O Anjo do Senhor falou com a mãe sobre a reversão da esterilidade dela e também acerca do projeto celestial para o filho que, por milagre, lhe seria confiado por Deus. A mulher, certamente movida de alegria e empolgação, relata ao marido a experiência que teve:

Então a mulher foi a seu marido e lhe disse:

— Um homem de Deus veio falar comigo. A sua aparência era semelhante à de um anjo de Deus, tremenda. Não perguntei de onde ele

---

[1] Carson, D. A.; France, R. T.; Motyer, J. A.; Wenham, G. J. **Comentário bíblico Vida Nova**. São Paulo: Edições Vida Nova, 2009. p. 399.

vinha, e ele não me disse como se chamava. Porém ele me disse: "Eis que você ficará grávida e dará à luz um filho. Por isso, não beba vinho, nem bebida forte, nem coma coisa impura, porque o menino será nazireu consagrado a Deus desde o ventre materno até o dia de sua morte". (Juízes 13.6,7)

A reação do marido, Manoá, é uma lição preciosa a todos os pais. Diante da notícia que sua esposa trouxe, de que o Senhor lhes confiaria um filho que serviria a um propósito divino, qual foi a preocupação que esse homem manifestou?

Ele fez uma oração que classificamos como "a oração que Deus responde", pois a Bíblia diz que o Senhor ouviu a sua voz. Há determinadas orações que estão fadadas a não serem respondidas. Como escreveu Tiago, irmão de Jesus, há pessoas que "pedem e não recebem, porque pedem mal" (Tiago 4.3). Mas há aqueles que oram corretamente e serão atendidos. A oração dos pais clamando por entendimento sobre como os filhos devem ser criados é uma oração que Deus atende.

"Então Manoá orou ao Senhor, dizendo:

— Ah! Meu Senhor, peço que o homem de Deus que enviaste venha outra vez e *nos ensine o que devemos fazer com o menino* que há de nascer.

Deus ouviu a voz de Manoá, e o Anjo de Deus veio outra vez à mulher, quando ela estava sentada no campo. Porém Manoá, o marido, não estava com ela. A mulher se apressou, correu e deu a notícia a seu marido. Ela lhe disse:

— Eis que me apareceu aquele homem que falou comigo no outro dia.

Então Manoá se levantou e seguiu a sua mulher. Quando encontrou o homem, perguntou:

— Você é o homem que falou com esta mulher?

Ele respondeu:

— Sim, sou eu.

Então Manoá disse:

— Quando se cumprirem as palavras que você falou, *qual será o modo de viver do menino e o seu serviço?*

O Anjo do Senhor disse a Manoá:

— A sua mulher deve se guardar de tudo o que eu disse a ela. Não deve comer nada que procede da videira. Não deve beber vinho nem bebida forte, nem comer nada que seja impuro. Ela deve observar tudo o que lhe ordenei. (Juízes 13.8-14)

O que aprendemos com esse pai?

A primeira lição é que devemos orar não somente pelo entendimento do propósito de Deus para os filhos, como também buscar direção a respeito de como criá-los. Esse foi o clamor de Manoá: "Ah! Meu Senhor, *peço* que [...] nos ensine o que devemos fazer com o menino". Repare que não estamos falando apenas sobre compreender os princípios gerais da criação dos filhos mas especificamente sobre o plano personalizado que os céus têm para eles. Não eram todos os israelitas que deveriam ser criados como nazireus ou que tinham a missão que foi dada a Sansão. Isso fica muito claro quando atentamos para o fato de que aquele pai perguntou não somente sobre o modo de criar o menino, como também sobre o seu *serviço*.

Outra lição preciosa que aprendemos com Manoá é a respeito de exercer fé e confiança em Deus. Precisamos crer nas palavras do Senhor. O pai de Sansão fez isso. Duas perguntas foram feitas por ele ao Anjo do Senhor e, em ambas, a ênfase é de que as palavras iriam se cumprir:

1. "*Quando se cumprirem as palavras que você falou*, qual será o modo de viver do menino e o seu serviço?" (Juízes 13.12).

2. "Qual é o *seu* nome, para que *possamos honrar você, quando se cumprir aquilo que nos falou*?" (Juízes 13.17).

Ele não tinha dúvidas de que o que lhe fora dito iria se cumprir. Vale ressaltar que Zacarias, pai de João Batista, fez exatamente o oposto.

Nos dias de Herodes, rei da Judeia, houve um sacerdote chamado Zacarias, do turno de Abias. A mulher dele era das filhas de Arão e se chamava Isabel. Ambos eram justos diante de Deus, vivendo de forma irrepreensível em todos os preceitos e mandamentos do Senhor. Eles não tinham filhos, porque Isabel era estéril, e os dois já tinham idade avançada.

E eis que apareceu a Zacarias um anjo do Senhor, em pé, à direita do altar do incenso. Ao vê-lo, Zacarias ficou assustado, e o temor se apoderou dele. O anjo, porém, lhe disse:

— Não tenha medo, Zacarias, porque a sua oração foi ouvida. Isabel, sua esposa, dará à luz um filho, a quem você dará o nome de João. Você ficará alegre e feliz, e muitos ficarão contentes com o nascimento dele. Pois ele será grande diante do Senhor, não beberá vinho nem bebida forte, e será cheio do Espírito Santo, já desde o ventre materno. Ele converterá muitos dos filhos de Israel ao Senhor, seu Deus. E irá adiante do Senhor no espírito e poder de Elias, para converter o coração dos pais aos filhos, converter os desobedientes à prudência dos justos e habilitar para o Senhor um povo preparado.

Então Zacarias perguntou ao anjo:

— Como terei certeza disso? Pois eu sou velho, e a minha mulher também já tem idade avançada.

O anjo respondeu:

— Eu sou Gabriel, que estou a serviço de Deus, e fui enviado para falar com você e lhe trazer esta boa notícia. Todavia, você ficará mudo e não poderá falar até o dia em que estas coisas vierem a acontecer, porque você não acreditou nas minhas palavras, as quais, no devido tempo, se cumprirão. (Lucas 1.5-7; 11-20)

Observe as semelhanças entre a história de Manoá, pai de Sansão, e a de Zacarias, pai de João Batista:

1. As esposas dos dois não podiam ter filhos.

2. Ambos os pais eram tementes a Deus.

3. Uma aparição angelical se deu com cada um deles.

4. Tanto um quanto outro receberam uma promessa divina.

5. Os filhos de ambos seriam nazireus e serviriam a um propósito.

Encontramos múltiplas similaridades entre esses dois pais. Mas qual é a *diferença* entre eles?

Enquanto Manoá acreditou no que o Anjo do Senhor anunciou, Zacarias, por sua vez, não creu nas palavras que lhe foram ditas. Embora tenham histórias parecidas, a reação de cada um foi bem distinta.

Alguém poderia objetar que a incredulidade de Zacarias não atrapalhou o cumprimento do propósito na vida de João Batista. Mas não podemos deixar de lembrar que, primeiro, o sacerdote ficou mudo por sentença do anjo Gabriel, tanto como juízo sobre a incredulidade como também como chamado ao arrependimento. No dia em que ele declarou que o nome do filho seria João, exatamente o nome que o anjo havia determinado — o que indicava, então, uma atitude de fé e obediência — ele voltou a falar. Portanto, não podemos concluir que ele permaneceu na incredulidade. Zacarias passou a crer e a cooperar com o propósito divino.

Outro exemplo de fé é o de Maria, mãe de Jesus. Ela também questionou o mensageiro angelical que apareceu a ela. Contudo, diferentemente de Zacarias, sua pergunta não carregava incredulidade, apenas indicava curiosidade sobre como seria o processo: "*Então* Maria *disse* ao anjo: — Como *será isto,* se *eu nunca tive relações* com homem algum?" (Lucas 1.34). O registro bíblico sobre a atitude de fé de Maria é claro: "—Bem-aventurada a que creu, *porque serão cumpridas as palavras* que *lhe foram ditas da parte do* Senhor" (Lucas 1.45).

Quando o sacerdote Zacarias passou a crer no que o anjo Gabriel havia falado, ele foi cheio do Espírito Santo e passou a profetizar tanto sobre o tempo divino que se aproximava como também sobre o ministério de João Batista, seu filho (Lucas 1.67-79). Isso revela que, enquanto não acreditamos naquilo que Deus já nos falou, não há razão para que ele fale mais nada. Contudo, depois de agirmos em fé quanto ao que o Senhor já nos liberou estaremos aptos a receber mais direções.

Os pais têm a responsabilidade de crer e encaminhar seus filhos para viverem o plano de Deus para suas vidas. Que o exemplo de Manoá e de Maria possam nos ensinar e inspirar!

* * *

PERGUNTAS PARA REFLEXÃO

1. Rebeca buscou ao Senhor acerca do propósito divino dos gêmeos. Você tem orado a respeito do destino profético dos seus filhos? Se sim, faz isso frequentemente ou ocasionalmente? Essa constatação pode ajudá-lo a reorganizar-se nessa área.

2. Nem todos terão um papel de grande destaque no plano divino, como foi com Moisés. Entretanto, o propósito que Deus determinou a cada um é importante e necessário. Não se trata de indivíduos, e sim de uma grande equipe onde todos contribuem com sua parte. Essa verdade precisa ser comunicada aos filhos antes mesmo deles entenderem o que foram chamados a fazer. Você tem transmitido esses valores aos seus filhos?

3. Como pais, à semelhança de Manoá, devemos ansiar entender a forma correta de criar nossos filhos e prepará-los para viver o cumprimento do seu propósito. Esse desejo, combinado às orações, é uma chave importantíssima. Você diria que a consciência de sua responsabilidade como pai ou mãe já despertou esse desejo? Se sim, como você classificaria a intensidade desse desejo?

4. Zacarias orou a Deus por um filho, mas, ao ser notificado da chegada do milagre, duvidou. Muitas vezes, mesmo orando e procurando aplicar fé em relação à intervenção divina quanto ao futuro de nossos filhos, podemos sofrer as investidas da dúvida. Entretanto, apesar de temporariamente ter cedido à incredulidade, o pai de João Batista acabou vencendo a incredulidade. Como você classificaria a sua disposição de batalhar contra a descrença?

PARTE 2
PREPARAÇÃO

6
O PROCESSO DE AMADURE-CIMENTO

O crescimento é tanto físico quanto emocional e espiritual. Nossos filhos precisam de desenvolvimento em todas as áreas. O aspecto físico, salvo exceções oriundas de algum tipo de deficiência, não demanda tanta atenção. Com boa nutrição e exercício dos membros do corpo, o crescimento é certo e garantido; é só uma questão de tempo. Já o progresso emocional e espiritual requerem outros investimentos e processos.

Antes de tratar, porém, desse aspecto interior do crescimento — que é o foco deste capítulo —, é necessário entender as etapas do desenvolvimento físico.

AS FASES DO CRESCIMENTO

Os filhos passarão por *fases* distintas no crescimento. E há alguns fatos bíblicos acerca disso que precisam ser pontuados.

> "[...] tanto à *criança de peito* como ao *homem de cabelos brancos*." (Deuteronômio 32.25)

O versículo acima é parte do cântico profético de Moisés. Anunciando juízo, ele fala que a espada causará devastação às pessoas de todas as idades. E, englobando todas as faixas etárias, enfatiza que o juízo atingiria desde a criança de peito, o recém-nascido, até o homem de cabelos brancos, o idoso.

As distinções de fases do crescimento aparecem nas Escrituras com as seguintes terminologias: "recém-nascido" (1Pedro 2.2), "criança" (Efésios 4.14), "jovem" (1João 2.13), "homem-feito" (Hebreus 11.24). Outros termos também podem ser encontrados na Bíblia, embora retratem fases já identificadas; o apóstolo João, por exemplo, fala de "filhinhos" e de "pais" (1João 2.12-14). As diferentes fases exigem, dos pais, cuidados distintos:

> Passaram a ter necessidade de leite e não de alimento sólido. Ora, todo aquele que se *alimenta de leite* é inexperiente na palavra da justiça, *porque é criança*. Mas o *alimento sólido é para os adultos*, para aqueles que, pela prática, têm as suas faculdades exercitadas para discernir não somente o bem, mas também o mal (Hebreus 5.12-14).

O autor da carta de Hebreus usou, como alegoria, um fato natural com o fim de retratar uma realidade espiritual. Ele falou sobre alimentação distinta para estágios distintos do crescimento. Você não pode servir uma feijoada a uma criança que ainda não desmamou e não deveria oferecer uma mamadeira a um filho crescido. Requer-se dos pais, portanto, atenção às necessidades específicas que cada fase carrega.

Não podemos limitar isso apenas ao aspecto físico; as necessidades emocionais também variam de acordo com a fase. O aprendizado acerca do que eles precisam pode acontecer desde o compartilhar da experiência e sabedoria dos mais velhos até o aprendizado com os peritos no assunto, por meio de literatura, videoaulas ou cursos presenciais.

O cristão deve entender que é responsabilizado, pela Palavra de Deus, a ajudar outros naquelas áreas em que carrega mais "bagagem" e experiência de vida. Paulo escreveu a Tito para que este orientasse as mulheres mais velhas: "sejam [...] mestras *do bem, a fim de instruírem* as *jovens recém--casadas* a amar *o marido* e *os* filhos" (Tito 2.3,4).

E, se, por um lado, reconhecemos o próprio Deus apontando a necessidade dos mais experientes de ensinarem os mais novos, por outro lado, devemos reconhecer que a orientação bíblica aponta a necessidade dos inexperientes de buscarem conselho e orientação dos mais vividos.

Além das necessidades, cada fase apresenta também *comportamentos* distintos. Paulo fala acerca disso em sua carta aos irmãos de Corinto:

"Quando eu era menino, falava como menino, sentia como menino, pensava como menino; quando cheguei a ser homem, desisti das coisas próprias de menino" (1Coríntios 13.11).

Certa ocasião, quando meu filho Israel ainda era bem garoto, demonstrou o comportamento típico de menino. Eu, aborrecido com o que vi, chamei sua atenção: "Meu filho, pare com isso! Você parece criança...". Ele imediatamente interrompeu o que fazia e se comportou. Contudo, depois de uns minutos, veio até mim e disse: "Pai, eu sou criança!", Comecei a rir e acabei reconhecendo: "É mesmo!". Ele se uniu a mim e seguimos rindo juntos. Não podemos esperar comportamento de adulto em uma criança; muito menos o oposto.

É nossa missão orientar o comportamento de cada fase. As crianças passam pelo período em que deveriam se divertir; penso que foi acerca disso que Jó afirmou: "*Deixam as suas crianças correr* como um rebanho; *os seus filhos saltam de alegria*" (Jó 21.11). Contudo, à medida que crescem, as crianças devem apresentar sinais de maturidade que se evidenciam pela mudança de comportamento. Paulo, falando da vida cristã, serve-se desse fato para ilustrar a necessidade de ajustes de postura: "Irmãos, não sejam *meninos* no entendimento. Quanto à maldade, sim, sejam *crianças*; mas, quanto ao entendimento, sejam *pessoas maduras*" (1Coríntios 14.20).

Não se deve esperar que essa mudança de comportamento seja algo espontâneo ainda que o amadurecimento, em parte, possa se dar dessa forma. É necessário que os pais, de forma intencional, incluam na criação dos filhos as instruções e os processos que cooperem com o progresso deles. Penso que foi isso que se deu com Salomão que, falando dos ensinos de seu pai, escreveu acerca desse processo de preparação: "Quando eu era *menino* em companhia de meu pai, uma *criança inexperiente*, mas única aos olhos de minha mãe, ele me *ensinava* e me dizia: 'Que o seu coração retenha as minhas palavras; guarde os meus mandamentos e você viverá.' " (Provérbios 4.3,4).

Ninguém vai de criança inexperiente a homem maduro só com o tempo. A maturidade tem que ser ensinada e instigada. Observe outro texto que revela o mesmo processo em andamento na educação de Salomão: "Quando se aproximava o dia da morte de Davi, ele *deu ordens* a Salomão, seu filho, dizendo: — Eu vou pelo caminho de todos os mortais. Portanto, tenha coragem e *seja homem!*" (1Reis 2.1,2).

É interessante notar que Davi não deu apenas *conselhos*; ele deu *ordens*! Obviamente a frase "seja homem!" não era uma exigência relacionada ao gênero, e sim a um novo comportamento; este, por sua vez, deveria estar de acordo com a nova fase em que agora entrava o filho que crescera.

Quando ainda são crianças, não podemos exigir de nossos filhos que pulem etapas e vivam uma maturidade que não combina com a fase em que estão. Paulo disse que, quando era menino, ele se comportava como tal. Isso não é apenas compreensível, é normal. Contudo, quando a hora de passar de fase chega também não podemos permitir que os filhos se comportem de acordo com a fase que cessou. Ao ordenar a seu filho "seja homem!", o rei Davi, em outras palavras, estava dizendo: "o tempo de meninice acabou; a fase da responsabilidade chegou".

Nossos filhos progredirão de uma fase a outra à medida que crescem. Acredito que cada transição deve ser tanto celebrada como destacada. Essa conduta tanto esclarece a importância da transição entre as fases como também festeja a chegada das novas etapas. A Bíblia também nos ensina: "Isaque *cresceu e foi desmamado*. Nesse dia em que o menino foi desmamado, Abraão *deu um grande banquete*" (Gênesis 21.8).

Abraão festejou a passagem de estação na vida de Isaque. É como se dissesse: "Este capítulo se encerrou, vamos ao próximo!". Isso tanto fortalece a mentalidade dos períodos distintos na vida dos filhos como também os encoraja a viver o nível seguinte.

> **LUCIANO**
>
> Poucos meses depois da mudança de minha família para Curitiba (PR), no início de 2005, minha filha completou quatro anos de idade. Na época, recebemos a visita da Cristina, uma irmã de Irati, cidade do interior paranaense onde havíamos morado antes de mudar para a capital. Essa irmã, uma das primeiras convertidas na igreja que pastoreamos lá, perguntou a Kelly, minha esposa, se ela estava se adaptando bem à nova cidade. Afinal de contas, deixamos a vida tranquila de uma pacata cidade de milhares de habitantes para conviver no corre-corre da região metropolitana de Curitiba com milhões de habitantes.
>
> Depois de várias perguntas sobre o trânsito, as distâncias e uma série de diferenças entre as duas cidades, minha esposa

respondeu que o melhor lugar para se estar é a vontade de Deus e que estávamos muito bem, mesmo diante das mudanças.

— Então nossa visitante mirou minha filha e questionou:

E você, está gostando da sua nova cidade?

A Lissa respondeu de pronto:

— Gostando? Na verdade, eu estou amaaaaaaando!.

É mesmo? E o que você está amando tanto nessa nova cidade? – indagou a visitante.

Minha filha nem titubeou e respondeu:

— É que aqui em Curitiba tem um monte de *Shopping Center*!

Todo mundo riu. Até porque dava para entender a empolgação da garotinha que, na cidade anterior, não tinha nenhum *shopping* para frequentar. Contudo o tempo revelou que aquilo era, de fato, uma grande paixão dela. Quando estava com cinco anos, Lissa disse para a mãe, enquanto voltavam de uma ida ao *shopping*: — Mãe, já estou orando por um marido rico!

Minha esposa, achando graça, continuou a conversa:

— É mesmo, filha? E por que você está orando por um marido rico?

— Porque esse negócio que você faz, de ir ao *shopping* só para olhar as vitrines, não é para mim não...

O que esperar, em termos de maturidade, de uma garotinha de cinco anos? Naquela época, se eu colocasse R$ 5 mil na mão de minha filha, ela gastaria, com certeza, tudo numa loja só! Hoje, chegando à maioridade, ela tem vergonha dessa história. Isso é sinal de que amadureceu. E amadureceu a ponto de mudar sua oração. Ela trocou o desejo e a oração: de um marido milionário para um missionário.

A RELAÇÃO DOS FILHOS COM A FAMÍLIA

O ciclo do crescimento também envolverá algumas inversões de papéis. Os filhos, quando crianças, são servidos; contudo, à medida que crescem, passarão a servir à família. Vejamos melhor essa dinâmica do amadurecimento e da relação familiar revelada nas Escrituras.

Quando Moisés foi encontrado pela filha de faraó, que se banhava no rio Nilo, a sua irmã fez uma pergunta: "— Quer que eu vá chamar uma das hebreias para que sirva de ama e crie esta criança para a senhora?" (Êxodo 2.7). Imediatamente ela chamou a mãe que, ao chegar, ouviu da filha de faraó: "— Leve este menino e amamente-o para mim; eu darei um salário para você. A mulher pegou o menino e o criou" (Êxodo 2.9). O que esse episódio destaca? A incapacidade de a criança cuidar de si mesma e a óbvia conclusão de que um adulto precisa fazer isso por ela. Nenhum de nós vai questionar uma necessidade de interpretação mais acurada do texto ou da discussão do contexto. Sabemos que isso é um fato, incontestável, confirmado tanto por diversas passagens da Bíblia como também pela simples observação das dinâmicas do funcionamento familiar em qualquer lugar e tempo.

Enfatizo isso porque, diferentemente da fase em que são servidas, as crianças crescerão e, em algum momento, terão que lidar com uma mudança. À medida que crescem devem servir à família. Depois de comparar os filhos a flechas (Salmos 127.4), a Palavra de Deus enfatiza que bem-aventurado é o homem que enche delas a sua aljava; e o motivo de tal afirmação é explicitado na declaração seguinte: "não será envergonhado, quando pleitear com os inimigos à porta" (Salmos 127.5, *ARA*). Nesse caso, vemos que os filhos, quando crianças, foram protegidos pelo pai; em contrapartida, quando crescidos, descobriram uma inversão de posição e passaram a defender seu progenitor.

E é nessa mudança que vejo muitos pais, ainda que inconscientemente, relativizando a importância de se delegar responsabilidades e intencionalmente sujeitar os filhos a processos de amadurecimento. É como se eles enxergassem apenas os extremos. Por um lado, os filhos sendo cuidados pelos adultos, porque não podem fazer isso por si mesmos, é algo percebido e compreendido. Por outro lado, os mesmos filhos, depois de crescidos, assumindo as responsabilidades da vida adulta também. Contudo, alguns pais parecem acreditar que, entre esses dois extremos existe um vazio, um vácuo, e que, de repente, da noite para o dia, tudo muda instantaneamente. Mas não é assim que funciona!

A prole não vai de criança a adulto em um salto. Eles crescem gradualmente, e a transição de posição também deveria ser gradual. À medida em que crescem, responsabilidades e serviço, dentro de casa e em prol da família, devem ser acrescentados à vida dos filhos. Fazendo isso de forma lenta, porém progressiva, eles não apenas poderão absorver os valores que estão sendo comunicados, como também poderão, pelo treinamento prático, ser aperfeiçoados nas áreas em que começam a servir.

> **LUCIANO**
>
> Eu sou o filho do meio de três homens gerados por meus pais. Os meus dois irmãos começaram a trabalhar com 12 anos de idade. Eles empacotavam compras em um supermercado do bairro e também repunham alguns produtos nas prateleiras. Tentei evitar o trabalho deles e, até os 14 anos, eu me virava fazendo meus negócios informais. Às vezes, chegava a ganhar mais dinheiro que eles. Sem contar que tinha mais tempo livre para me divertir do que eles tinham. Eu me orgulhava tanto de minha liberdade como de minha "alma empreendedora".
>
> Um dia, porém, cheguei em casa e um amigo da família estava lá, conversando com meu pai. Cumprimentei-o de passagem e, quando ia seguindo, meu pai me chamou de volta e disse: "Cumprimente direito seu novo chefe". Eu estava tentando entender aquela afirmação quando ele explicou: "Acabei de lhe arrumar um emprego. Amanhã cedo você começa a trabalhar como um *office-boy*".
>
> Surpreso com a notícia, perguntei quanto iria ganhar. A resposta foi firme: "Não interessa o quanto você vai ganhar. O assunto já está decidido". Eu ainda insisti: "Pai, você sabe que eu faço mais dinheiro com meus 'rolos' (leia-se: "negócios informais") do que ganharei com esse tipo de emprego". E a resposta dele, indigesta no momento, foi uma verdadeira lição para mim (embora só tenha entendido e apreciado no futuro): "Trabalho não se trata apenas de ganhar dinheiro. Você precisa aprender a ter responsabilidades, cumprir horários e saber se reportar a um chefe. E o emprego lhe ensinará tudo isso". Após a explicação a coisa ficou ainda pior. Ele emendou: "A partir de hoje, você não ficará mais com todo o dinheiro que ganha. Depois de entregar o dízimo, você retirará uma pequena quantia para você e entregará o restante para ajudar

nas despesas de casa". Protestei que ele não precisava do meu dinheiro, e ele concordou comigo. Mas foi enfático: "Mas você precisa aprender a contribuir com a família".

Ele estava tentando me ensinar que, em qualquer família, os filhos não devem apenas ser servidos na casa, devem servir e, desde cedo, serem treinados a contribuir com a casa. Ele estava comunicando, ainda que sem estas palavras, de forma bem clara: "Você tem que aprender a ser homem".

Ensinar, de modo firme e prático, os filhos para que sirvam, à família é uma receita contra o egoísmo e auxilia no desenvolvimento do senso de responsabilidade e cooperação familiar. Contudo, com o modelo atual de criação que poupa os filhos de tudo — de tarefas domésticas a responsabilidades maiores —, criamos um problema maior do que se pode mensurar. Isso vale tanto para a funcionalidade das famílias que esses filhos futuramente formarão como também para a vida espiritual deles.

A consequência da postura atual dos pais é nada menos que filhos mimados, que não entendem, não aceitam, tampouco desfrutam do resultado de processos necessários à maturidade. Deus, como Pai — e modelo de paternidade a ser seguido —, não nos poupa desses processos!

Enquanto são menores, os filhos são cuidados pelos pais; na velhice devem ser retribuídos pelo cuidado que eles lhes dispensaram. Paulo escreveu acerca dessa responsabilidade: "que estes aprendam primeiro a exercer piedade para com a própria casa e a recompensar os seus pais; pois isto é aceitável diante de Deus" (1Timóteo 5.4). A inversão de papéis é certa. Contudo, a preparação para ela deve se dar de forma gradual. E isso envolve tanto o tempo como os processos; ambos são elementos essenciais no progresso dos filhos.

COMO SE DÁ O AMADURECIMENTO?

O crescimento físico, assim como o amadurecimento emocional (e espiritual) dos filhos, requer tempo. O desenvolvimento não se dá da noite para o dia; é um projeto de longo prazo. Isso é fato tanto no mundo natural como também no espiritual. O Senhor Jesus ensinou acerca dessa verdade:

"Jesus disse ainda: — O Reino de Deus é como um homem que lança a semente na terra. Ele dorme e acorda, de noite e de dia, e a semente germina e cresce, sem que ele saiba como. A terra por si mesma frutifica: primeiro aparece a planta, depois, a espiga, e, por fim, o grão cheio na espiga. E, quando o fruto já está maduro, logo manda cortar com a foice, porque chegou a colheita." (Marcos 4.26-29).

Comento esse texto bíblico e os princípios nele apresentados em meu livro *Maturidade: o acesso à herança plena* e aqui lanço mão dele:

Nenhum lavrador planta uma semente num dia e espera colher frutos no dia imediato porque crescer demanda processo. E processo requer tempo. Como Jesus afirmou, esse processo possui etapas distintas. Primeiro, depois de a semente germinar, aparece a erva. Depois, vem a espiga — até aqui, passou-se um tanto de tempo. Então aparece o grão cheio na espiga, mas ainda não é hora de colher. É necessário esperar mais um pouco até que o grão esteja maduro. Então, somente então, a colheita pode acontecer.

Ninguém nasce adulto. O bebê cresce e se torna criança. A criança cresce e se torna adolescente. O adolescente cresce e se torna adulto. O adulto para de crescer fisicamente, mas ainda amadurece espiritual e emocionalmente, além de desenvolver suas habilidades. Portanto o *tempo* é um fator necessário não apenas para desenvolvimento natural, mas também para maturidade emocional e espiritual, bem como para que se adquiram experiência e sabedoria.

Logo, não há crescimento imediato. O tempo é indispensável, inclusive no âmbito espiritual. Essa é a razão pela qual Paulo, escrevendo a Timóteo, declara que o candidato ao ministério (episcopado) não pode ser um novo convertido: "não seja neófito, para não suceder que se ensoberbeça e incorra na condenação do diabo" (1Timóteo 3.6, *ARA*). A palavra traduzida por neófito, no original grego, é *neophutos* (νεοφυτος) e, de acordo com Strong, significa "recentemente plantada",[1] o que indica uma planta nova. Também era usada para, no sentido espiritual, falar de um recém-convertido, de alguém que recentemente tornou-se cristão. A *Nova Versão Internacional* optou pela expressão "não pode ser recém-convertido".

Por que o ministro não pode ser novo na fé? Simplesmente porque ainda não teve tempo de crescer espiritualmente![2]

---

[1] STRONG, James. **New Strong's Exhaustive Concordance of the Bible** cit.

[2] SUBIRÁ, Luciano. **Maturidade**: o acesso à herança plena. Rio de Janeiro: Central Gospel, 2018. p. 50,51.

As fases distintas certamente demandarão tempo. Ninguém experimenta crescimento e amadurecimento instantâneo. Algumas fases levarão anos antes que o ciclo se encerre. Mas, se por um lado vale destacar a necessidade de tempo por outro, é necessário reconhecer que apenas o tempo não garante o resultado. Veja essa afirmação do escritor da epístola de Hebreus:

> "Pois, quando já deviam ser mestres, levando em conta o tempo decorrido, vocês têm, novamente, necessidade de alguém que lhes ensine quais são os princípios elementares dos oráculos de Deus. Passaram a ter necessidade de leite, não de alimento sólido" (Hebreus 5.12).

O texto é claro. Ele aponta que alguns crentes hebreus já *deviam* ser mestres. Por que razão? Essa também recebe destaque: "levando em conta o tempo decorrido". Nem todos, à medida que o tempo passa, se permitem crescer. Porque, como já afirmei, se por um lado não há crescimento sem tempo, por outro, só o tempo não é suficiente para o desenvolvimento. Há necessidade de que, sem subtrair o fator cronológico, se acrescente algo a ele. E o que deve ser somado ao tempo? Acredito que outro ingrediente indispensável seja o efeito que os *processos* têm na maturação emocional e espiritual das pessoas.

À medida que crescem fisicamente, as crianças precisam de determinados processos que as ajudem a entender a responsabilidade. Mencionei uma descrição do comportamento das crianças que envolve correr e saltar (Jó 21.11); em outras palavras, os pequenos são focados na diversão. Não entenderão responsabilidade a menos que seja exemplificada e exercitada. Essa nova fase costuma gerar determinadas crises. Mas não pode, no entanto, ser negligenciada.

Lembro-me do meu filho, ainda adolescente, depois de ter começado a trabalhar, constatar: "Quando eu tinha tempo para jogar videogame, eu não tinha dinheiro para comprar os jogos. Agora que eu trabalho e ganho dinheiro que me possibilita adquirir os jogos, não tenho tempo para me divertir". Respondi na hora: "Benvindo ao mundo dos adultos e à crise do amadurecimento!".

Os pais modernos superprotegem seus filhos. Poupam-nos de tarefas e responsabilidades domésticas e até mesmo do trabalho fora de casa enquanto ainda estudam. Talvez o façam porque acham que sua vida foi dura e não querem que sua prole "sofra" ou porque concluem que, diferentemente deles, seus filhos não terão necessidade financeira. Contudo, o que acabam perdendo de vista é a necessidade de desenvolvimento emocional e como tais responsabilidades podem ajudá-los a crescer em outros aspectos. Os pais podem ajudar os filhos a alcançar maturidade mais depressa, ou deixá-los acomodados e, assim, retardarem o processo. Nas palavras de Shakespeare, "Maturidade tem mais a ver com o tipo de experiência que você teve na vida, do que com quantas velas você apagou". Cabe ainda mencionar aqui uma afirmação de Benjamin Franklin: "Na escola da experiência, as aulas são caras, mas só com elas os insensatos se corrigem". As experiências e os processos de amadurecimento decorrentes delas, se devidamente aproveitados, podem nos ajudar — e muito — em nosso aperfeiçoamento.

Como pastores há mais de vinte e cinco nos, já aconselhamos muitos casais. Um dos maiores problemas nos casamentos da atualidade é o baixo nível de maturidade emocional dos cônjuges. Infelizmente, há um expressivo número de adultos que se comportam como verdadeiras crianças mimadas. Acreditamos que parte desse quadro assustador tem origem numa mudança de mentalidade que a nova geração vem desenvolvendo em relação à família. Com o propósito de ajudar a compreender a importância dos processos no amadurecimento dos filhos, fazemos uso de outra porção do livro *Maturidade: o acesso à herança plena*":

> Deixe-me dar um exemplo. Recentemente, perguntei a uma pessoa muito querida para mim se ela planejava ter mais filhos — já tinha um. A resposta foi imediata e segura: "De jeito nenhum!". Impressionado e curioso, questionei a razão do não. Aquele pai, de pronto, rebateu: "Porque é caro demais ter um filho".
>
> O que essa conversa revela? Um pai mesquinho, que não quer gastar dinheiro com os filhos? Claro que não! É justamente o oposto. A conversa aponta para um pai que, justamente por querer dar o melhor aos seus filhos, entende qual é o seu limite orçamentário e não segue aumentando a quantidade de filhos para não baixar o padrão do que ele deseja oferecer. E isso possui um lado louvável. Mas também destaca algo que me preocupa. Trata-se de uma nova mentalidade e um novo modelo de criação familiar que se distancia do modelo bíblico.
>
> No padrão apresentado nas Escrituras, o aumento dos filhos era visto como algo bom e possuía uma razão. [...] Contudo, hoje, qual é a razão da hesitação dos pais em ter mais filhos? É a preocupação do quanto custa.

O que isso revela? Que os pais modernos já não pensam no que os filhos podem fazer pela família; eles estão preocupados somente com o que a família terá que fazer pelos filhos.

Antigamente, ninguém deixava de ter filhos pensando no quanto isso custava. A mentalidade, especialmente quando se tirava o sustento da lavoura, sempre foi o contrário. Quanto mais filhos alguém gerava, mais mão de obra para produzir mantimento havia em casa.

Tal mudança de mentalidade produz também uma mudança de criação. Os pais da atualidade não criam filhos para contribuir com a família. Criam filhos com uma visão, ainda que não tão explícita, de apenas sugar a família. Fortalecem, inconscientemente, o egoísmo. Poupam-nos de processos que amadurecem. Processos que foram testados ao longo da história — e demonstraram funcionar muito bem — são descartados em nossos dias. Os filhos têm cada vez menos responsabilidades e cada vez mais privilégios. Os direitos são bem maiores e abundantes que os deveres.

O resultado? Uma geração imatura que se sacrifica cada vez menos pela sua família e exige cada vez mais seus direitos.

Um dia desses, alguém reclamou comigo:

"Esta nova geração está cada vez mais mimada!".

Repliquei na hora:

"E de quem é a culpa? Quem foi que os mimou?".

Ele permaneceu em silêncio.

O fato é que pais reclamam de filhos que eles mesmo desvirtuaram. Precisamos repensar o modelo de criação e a mentalidade que estamos promovendo.

Não falo de algo tão distante na história como os textos bíblicos citados. Até a geração passada, as coisas ainda seguiam nesse ritmo. [...]

Em qualquer família, os filhos não devem apenas ser servidos na casa, devem servir. Os filhos não devem ser as "sanguessugas" que estão se tornando nesta nova geração. Devem ser treinados a contribuir com a casa, servir à família e não ser egoístas.

Contudo, com o modelo atual de criação que os poupa de tudo — de tarefas domésticas a responsabilidades maiores —, criamos um problema maior do que podemos mensurar. Tanto para a funcionalidade das famílias que esses filhos formarão como para suas vidas espirituais.

A consequência da postura atual dos pais é nada menos que filhos mimados, que não entendem, não aceitam, tampouco desfrutam do resultado de processos necessários à maturidade.[3]

Somos gratos a Deus pela criação que tivemos. Em nossas casas, a mentalidade dos nossos pais era essa; os filhos não eram poupados dos desconfortos necessários para o amadurecimento. Nós dois começamos a trabalhar na adolescência, enquanto ainda estávamos estudando, e isso só nos ajudou a crescer. Contudo, mais do que apenas compartilhar uma experiência bem-sucedida da criação de filhos — tanto nossa como de nossos pais —, entendemos que esses princípios são, na verdade, ingredientes de um projeto divino, revelado nas Escrituras, que deveriam servir de modelo para todos os pais.

DESCONFORTOS NECESSÁRIOS

Enfatizamos a importância dos processos e da delegação de responsabilidade. Quando falamos de processos, referimo-nos aos desconfortos necessários ao crescimento. Como declarou Blaise Pascal: "A sabedoria amadurece por meio do sofrimento". Recorremos, novamente ao livro *Maturidade*:

> Uma nova geração mima seus filhos e trata-os como sanguessugas, que vivem para sugar a família, e não para colaborar com ela. Embora toda generalização nos faça falhar com alguns, hoje em dia, o senso comum sobre criação de filhos é esse.
>
> Distanciam-se — e muito — de nós aqueles dias em que os filhos levantavam cedo para tirar o leite da vaca, alimentar os animais e ajudar os pais a manter ativa a provisão do lar. Eu sei que os tempos mudaram e não prego um retorno à roça ou ao estilo de vida de antigamente. O que pretendo mostrar é que, mesmo num mundo urbano e altamente tecnológico como o que vivemos, a necessidade de transmitir aos filhos responsabilidades como parte da educação não deveria ter mudado.
>
> Não importa se a família é abastada o suficiente para ter inúmeros empregados em casa, todo filho e filha deveria ser submetido às tarefas domésticas!

---

[3] SUBIRÁ, Luciano. **Maturidade**: o acesso à herança plena. Rio de Janeiro: Central Gospel, 2018. p. 53-56.

Quando Paulo declarou que o filho, enquanto menor, em nada difere de um escravo (Gálatas 4.1,2), não se referia apenas à posição de não poder acessar a herança. Os filhos também eram incumbidos de responsabilidades e, assim como os servos, trabalhavam para seus pais. Na parábola do filho pródigo, mesmo tendo muitos servos, vemos que aquele pai delegava trabalho aos seus filhos (Lucas 15.29).

Aliás, esse exemplo não é incomum nas Escrituras. O próprio Jesus cita em outra de suas parábolas: "E que vos parece? Um homem tinha dois filhos. Chegando-se ao primeiro, disse: Filho, vai hoje trabalhar na vinha. Ele respondeu: Sim, senhor; porém não foi. Dirigindo-se ao segundo, disse-lhe a mesma coisa. Mas este respondeu: Não quero; depois, arrependido, foi. Qual dos dois fez a vontade do pai? Disseram: O segundo. Declarou-lhes Jesus: Em verdade vos digo que publicanos e meretrizes vos precedem no reino de Deus" (Mateus 21.28-31, *ARA*).

O trabalho engrandece, aperfeiçoa, ajuda a desenvolver não apenas habilidades, como também maturidade. Entretanto, pais que poupam seus filhos do desconforto de tarefas domésticas, ou mesmo de trabalharem cedo, estão, na verdade, eximindo-os de crescer. Que tipo de esposa será uma filha que cresceu sem nunca ter lavado a louça ou cozinhado alguma coisa? A mulher virtuosa de Provérbios 31 não vai "possuí-la" no dia do casamento! Requer treinamento, ensino dos pais, exercício durante a vida de solteira.

Da mesma forma, como um garoto que nunca colocou a mão na massa e cresceu só jogando videogame virará um trabalhador dedicado, da noite para o dia? Ele se transformará em passe de mágica, simplesmente porque se casou? Claro que não! Esse tipo de habilidade se desenvolve e, para isso, demanda tempo e treinamento.

Todo crescimento, avanço e progresso proporcionarão o que quero denominar de desconfortos necessários. Mesmo na vida espiritual. Muitas vezes, dores e tristeza precedem e pavimentam a chegada de alegria e realização. Observe essa declaração de Jesus: "Em verdade, em verdade eu vos digo que chorareis e vos lamentareis, e o mundo se alegrará; vós ficareis tristes, mas a vossa tristeza se converterá em alegria. A mulher, quando está para dar à luz, tem tristeza, porque a sua hora é chegada; mas, depois de nascido o menino, já não se lembra da aflição, pelo prazer que tem de ter nascido ao mundo um homem. Assim também agora vós tendes tristeza; mas outra vez vos verei; o vosso coração se alegrará, e a vossa alegria ninguém poderá tirar" (João 16.20-22, *ARA*).

O Mestre falava de sua partida, da dor e tristeza que os discípulos teriam que enfrentar. Contudo, encoraja-os a atentar para aquilo que está adiante, por vir. Como exemplo, cita a mulher quando entra em trabalho de parto e passa por um desconforto necessário para que o novo estágio de conquista e realização se concretize. Tal declaração não se limita somente àqueles discípulos, mas também aos nossos dias. Ela se encaixa em muitos aspectos e distintos momentos de nossa própria vida — e sempre estará relacionada ao nosso aperfeiçoamento.[4]

Por amor aos nossos filhos, devemos ser firmes. Temos o dever de não os poupar dos desconfortos necessários ao crescimento. Um episódio de nossa família, envolvendo o nosso filho e a forma de lidarmos com eles, ficou bem conhecido nas pregações do Luciano. Ele detalhou o ocorrido no livro *Maturidade,* e entendemos que a história cabe bem aqui:

> Permita-me exemplificar a execução dessa minha crença em um momento importante da vida de meu filho Israel. Aos 18 anos de idade, ele estava saindo de casa para estudar fora. Ganhou uma bolsa de estudos para estudar na Universidade da Casa Internacional de Oração (IHOPU), em Kansas City, nos Estados Unidos. Na época, Israel começara um relacionamento com a filha de meu pastor e já falava em casamento. Portanto o que vou narrar agora envolve um contexto diferente do que é comum para rapazes da mesma idade. Eu o chamei para uma conversa franca e disse:
>
> "Mesmo que você tenha ganho a bolsa e não vá ter custos com os estudos, viver fora custa. Seu salário, do serviço que prestará a distância, não é suficiente. Deus lhe deu um mantenedor mensal que decidiu ofertar em sua vida regularmente, mas as duas rendas também não são suficientes. Então, estou disposto a complementar a diferença e ajudar nos estudos".
>
> Ele vibrou com a notícia, mas emendei:
>
> "Preste atenção, porque o que vou dizer agora é sério e não tem volta".
>
> Detalhe: meus filhos cresceram sabendo que o que digo é semelhante aos decretos dos reis da Média e da Pérsia: irrevogável. Prossegui:
>
> "Você já está falando, nessa idade, em casamento, e eu aprovo. Mas orei acerca disso e creio ter uma orientação do Espírito Santo. Vou submetê-lo a

---

[4] SUBIRÁ, Luciano. **Maturidade**: o acesso à herança plena. Rio de Janeiro: Central Gospel, 2018. p. 171-173.

um intensivo para ajudá-lo a tornar-se homem em ritmo acelerado. E vamos começar pela questão financeira. Aprenda a fazer orçamento e a planejar seus gastos. Quem quer se casar precisa disso. Portanto, para o seu próprio bem e crescimento, se você gastar mais do que pode, não vou socorrê-lo ou ajudá-lo além do valor mensal combinado, que será sempre enviado no primeiro dia de cada mês. Caso isso aconteça, nem adianta você me ligar que eu não vou amolecer e voltar atrás. Você terá que se virar sozinho".

Ele consentiu e garantiu que entendera. Tudo correu bem nos dois primeiros meses. No final do terceiro, faltando três dias para acabar o mês, tive uma surpresa. Falávamos quase todos os dias, mas naquele, em particular, ele começou a conversa dizendo:

"Então, pai... sei que ainda faltam três dias para acabar o mês... mas será que você não poderia adiantar o dinheiro do próximo mês?".

"Claro que não" — respondi de pronto.

"Mas, pai, são só três dias!".

"Eu digo o mesmo: são só três dias para você esperar o dinheiro chegar no prazo combinado".

"É que meu dinheiro já acabou...".

"O problema é seu, não meu. E combinamos isso antes, de forma clara".

"Pai, é que você não está entendo a gravidade da situação. Não tenho mais dinheiro para nada, nem para comer. Não tomei café da manhã hoje, nem almocei. Estou zerado de grana!".

Meu coração apertou. E muito. Como não se compadecer de um filho com fome, sem dinheiro para comer? Contudo, percebia, naquele momento, o Espírito Santo me lembrando da importância dos processos de amadurecimento. Decidi não ceder. Repliquei:

"Filhão, só tenho um conselho a dar: jejue".

Ele protestou do outro lado:

"Pai, são três dias!".

"Que eu me lembre você já fez pelo menos dois desses jejuns de três dias, ingerindo apenas água, para buscar ao Senhor. E você está aí para isso. Vá para a Casa de Oração e, se necessário, fique lá até acabar os três dias. Não vou mandar dinheiro algum antes do prazo que combinamos".

É claro que foi uma decisão doída e difícil. Para mim e, com certeza, para ele também. Então terminei a conversa com aquela mesma frase que eu não gostava de ouvir do meu pai:

"Um dia você vai me entender e me agradecer por isso".

É lógico que não comentei nada com a mãe do garoto. Depois do jejum, quando já tinha feito a transferência financeira e ele já tinha voltado a comer, é que fui dar a notícia da forma mais positiva possível:

"Amor, esse seu filho é uma bênção!".

Ela concordou. Então acrescentei:

"Você acredita que o garoto fez mais um jejum de três dias, só na água?".

"Uau, glória a Deus por isso" — ela respondeu.

"Tá certo que eu tive minha parcela de contribuição para que isso acontecesse...".

"Ah, você é um pai muito encorajador e incentivador".

"Para ser honesto, eu acho que dessa vez foi mais do que um encorajamento de minha parte".

Ela franziu a testa, com cara de curiosa, e perguntou:

"Como assim?".

Contei a versão integral. Ainda lembro do rosto dela, com ares de "você fez isso com meu bebê?". Garanti o quanto eu era grato por todo amor e carinho que ela dedicara a meus filhos. Reconheci a importância disso na formação do caráter deles. Contudo, afirmei que seria tão firme quanto fosse necessário para ajudar nosso filho a amadurecer. Pedi que confiasse em mim, não apenas como pai, mas também como um homem de Deus.

Eu sei muito bem o que aconteceria se eu socorresse Israel logo na primeira vez que se perdeu no orçamento. Ele não teria a devida preocupação com o planejamento financeiro. Afinal de contas, ainda que inconscientemente, teria sempre o pensamento de que o papai está por perto para salvá-lo dos problemas.

Tenho visto muitos errarem nesse ponto. A Bíblia diz que, ao casar-se, o filho deve deixar pai e mãe (Gênesis 2.24). A palavra hebraica *azab* (בזע), usada nesse texto, significa "deixar, soltar, abandonar; afastar-se de, deixar para trás". Acho que isso, por si só, já diz tudo. O cordão umbilical precisa ser cortado! Contudo, mesmo com essa ordenança bíblica, alguns pais não treinam seus filhos a deixá-los. O resultado? Filhos imaturos que acabam perdendo — e muito — com isso.

Filhos deveriam ser ensinados e preparados para ser autossustentáveis antes de estabelecer a própria família: "Cuida dos teus negócios lá fora, apronte a lavoura no campo e, depois, edifique a tua casa" (Provérbios 24.27).

Sei que meu filho ainda não havia casado, mas precisava de treinamento para conseguir se desligar, efetivamente, de toda dependência — financeira e emocional. Por isso decidi submetê-lo aos mesmos processos que nosso Pai celestial permite que passemos.

Deus usa uma analogia para ilustrar a forma em que ele tratou a nação de Israel: "[...] como a águia que desperta a sua ninhada, paira sobre os seus filhotes, e depois estende as asas para apanhá-los, levando-os sobre elas" (Deuteronômio 32.11, *NVI*). Há uma informação importante aqui. Quando a águia toma um filhote nas asas? Isso só se dá quando chega a hora do voo de treinamento, momento em que a mãe águia decide que o filhote não deve mais permanecer no ninho, porque chegou a hora de aprender a voar.

O Senhor está dizendo que "forçará" nossa saída do ninho para que aprendamos a voar!

Maturidade também se produz a partir do trato correto dos pais para com os filhos. Eles não devem ser poupados de desconfortos, para que não sejam poupados do crescimento proveniente deles. Assim como o Senhor não nos poupará, não podemos poupar nossos filhos.[5]

Observe que o Senhor não nos poupa dos processos necessários ao nosso crescimento:

> "Meus irmãos, considerem motivo de grande alegria o fato de passarem por diversas provações, pois vocês sabem que a prova da sua fé produz perseverança. E a perseverança deve ter ação completa, a fim de que vocês sejam maduros e íntegros, sem lhes faltar coisa alguma" (Tiago 1.2-4, *NVI*).

As provações devem ser recebidas com grande alegria. Por quê? Porque por meio delas é que amadurecemos.

Logo, se o próprio Deus, o Pai perfeito, não nos poupa dos processos que nos ajudarão a crescer, por que nós, como pais, deveríamos poupar nossos filhos? É lógico que não estamos falando de abandono, negligência ou falta de cuidado. Ninguém poderia acusar o Pai Celeste dessas faltas. Porém, em amor, cientes do que os desconfortos necessários produzirão, devemos expor, de forma equilibrada, os nossos filhos aos processos de amadurecimento. Somente assim o tempo terá o aliado necessário para que eles se desenvolvam não apenas no aspecto físico.

* * *

---

[5] SUBIRÁ, Luciano. **Maturidade**: o acesso à herança plena. Rio de Janeiro: Central Gospel, 2018. p. 181-185.

PERGUNTAS PARA REFLEXÃO

1. Como você avalia seu papel paternal em compreender corretamente a fase em que os seus filhos estão?

2. Os elementos necessários à maturação dos filhos são o tempo e os processos (que também denominamos de "desconfortos necessários"). Crianças que são poupadas desses processos não amadurecerão no tempo correto. Como você avalia a sua participação nesses processos (ou na falta deles)?

3. Em sua opinião, quais são os desafios enfrentados pelos pais, para expor seus filhos a esses processos? O que os impede de agir corretamente?

4. Há uma mudança acontecendo no comportamento familiar; atualmente a centralidade dos filhos se dá como nunca antes. Você consegue perceber a diferença, nesse sentido, entre a criação que recebeu de seus pais e a que você tem dado aos seus filhos?

7
A EDUCAÇÃO

Parte da responsabilidade dos pais envolve a educação dos filhos. Ao utilizar o termo "educação", referimo-nos àquele aspecto da criação dos filhos que diz respeito à transmissão de princípios e valores. De acordo com as Sagradas Escrituras, a educação da criança pode determinar o curso de toda a sua vida. Se o caminho correto for devidamente comunicado, tornar-se-á em veredas que nunca serão abandonadas: "em que deve andar, e ainda *quando for velho* não se desviará dele" (Provérbios 22.6).

Obviamente isso exalta a importância da educação paterna. Se o futuro de nossos filhos está em jogo, então não podemos, em absoluto, negligenciar a responsabilidade de instruí-los corretamente.

A instrução paternal permite que os filhos trilhem o mesmo caminho, da infância à velhice. Não se trata apenas do cumprimento de uma missão da qual os pais se orgulhem no final. Ela é, acima de tudo, para o bem dos próprios filhos.

Quando há valores estabelecidos sobre o que é inegociável na educação dos filhos, também há um trilho estabelecido. Esse trilho será ajustado à medida que os pais amadurecem ou à medida que conhecem as Escrituras com mais profundidade. É importante que os filhos cresçam deslizando seguramente sobre esse trilho. Deve haver uma repetição dos mesmos princípios durante toda a jornada do crescimento da criança. A repetição segura, constante, é necessária para a absorção dos valores e definição do caminho. Provérbios, o livro da sabedoria, fala sobre isso repetidamente: "Meu filho, que estas coisas não se afastem dos seus olhos; guarde a verdadeira sabedoria e o discernimento; porque *serão vida para a sua alma* e enfeite para o seu pescoço. *Então você andará seguro no seu caminho*, e o seu pé não tropeçará." (Provérbios 3.21-23).

> Meu filho, escute e aceite as minhas palavras, e *os anos de sua vida se multiplicarão*. Eu ensinei a você o caminho da sabedoria e o fiz andar pelas veredas da retidão. *Se você andar por elas, os seus passos não se embaraçarão*; se você correr, não tropeçará. Retenha a *instrução* e não a deixe; *guarde-a, porque ela é a sua vida*. (Provérbios 4.10-13)

O foco dessa formação envolve todas as áreas da vida: tanto o aspecto espiritual quanto o natural. Ou seja, os pais devem promover o desenvolvimento integral dos filhos; devem orientá-los em cada aspecto da vida.

O ASPECTO ESPIRITUAL

Comecemos pelo aspecto espiritual. O Criador, através de Moisés, **ordenou** a todos os pais da nação de Israel que ensinassem a sua Palavra aos próprios filhos. Tal ordenança refletia a importância que a educação espiritual teria não somente naquela geração, como também nas vindouras:

> "— Estas palavras que hoje lhe ordeno estarão no seu coração. Você *as inculcará a seus filhos*, e *delas falará* quando estiver sentado *em sua casa, andando pelo caminho, ao deitar-se e ao levantar-se*. Também deve amarrá-las como sinal na sua mão, e elas lhe serão por frontal entre os olhos. E você as escreverá nos umbrais de sua casa e nas suas portas" (Deuteronômio 6.6-9).

Vale enfatizar que a Lei do Senhor, dada a Moisés, a que Deus se referiu acima, não era apenas espiritual. Não era apenas a Escritura dos israelitas; também era a constituição daquela nação. Eram leis que regiam o comportamento nas esferas natural e espiritual. E o Criador espera que os pais comuniquem os valores que prepararão seus descendentes nas duas esferas.

O mesmo conceito também é apresentado nos conselhos práticos que nos são oferecidos em Provérbios. Dessa vez, porém, a ordem é dada diretamente aos filhos, não aos pais. O propósito dessa ordenança é que os filhos ouçam a voz da instrução bíblica oferecida pelos seus pais.

> Meu filho, guarde o mandamento de seu pai e não abandone a instrução de sua mãe. Tenha-os sempre amarrados ao seu coração, pendure-os no seu pescoço. *Quando você andar, essa instrução o guiará; quando você se deitar, ela o guardará; quando acordar, falará com você.* Porque o mandamento é lâmpada, e a instrução é luz; *e as repreensões da disciplina são o caminho da vida.* (Provérbios 6.20-23)

Esse princípio nos é apresentado tanto na *Antiga* como na *nova* aliança. Assim como na Lei de Moisés, a orientação neotestamentária indica a mesma responsabilidade paterna de se criar os filhos no temor do Senhor. "E vocês, pais, não provoquem os seus filhos à ira, mas *tratem de criá-los na disciplina e na admoestação do Senhor.*" (Efésios 6.4).

Esse aspecto espiritual da educação dos filhos também poderia ser classificado como pastoreamento familiar. Quando Paulo escreve a respeito do padrão divino para os presbíteros, os responsáveis pelo governo da igreja local (1Timóteo 5.17), ele destaca a importância de que os que serão estabelecidos nessa posição honrosa tenham filhos que apresentem um bom testemunho de vida cristã:

> Foi por esta causa que deixei você em Creta: para que pusesse em ordem as coisas restantes, bem como, em cada cidade, *constituísse presbíteros,* conforme prescrevi a você: alguém que seja irrepreensível, marido de uma só mulher, *que tenha filhos crentes que não são acusados de devassidão, nem são insubordinados.* (Tito 1.5,6)

Por que a necessidade de filhos fiéis e com testemunho irrepreensível? Se não são os filhos que irão pastorear a igreja, que importância tem esse alto padrão espiritual em suas vidas?

A resposta é encontrada na primeira epístola de Paulo a Timóteo. Quando o apóstolo escreve acerca do reconhecimento dos bispos, ele esclarece que o candidato ao episcopado, antes de pastorear a vida de outros, deve primeiramente pastorear a sua própria casa: "E que *governe bem a própria casa, criando os filhos sob disciplina, com todo o respeito. Pois, se alguém não sabe governar a própria casa, como cuidará da igreja de Deus?*" (1Timóteo 3.4,5).

A orientação espiritual, definida pela comunicação dos valores das Escrituras, é de suma importância. Além de determinar o padrão do relacionamento dos filhos com Deus, afetará também o caráter e a capacidade de escolha deles ao longo da vida. Esse aspecto da educação não afeta apenas o aspecto devocional, mas todas as demais áreas da vida.

Além das instruções verbais e do exemplo dos pais (o que abordaremos em outro capítulo), vale destacar a importância de envolver os filhos nas práticas devocionais. A Bíblia relata que, quando o apóstolo Paulo e a comitiva que com ele viajava chegaram a Tiro, enquanto o navio era descarregado, gastaram uma semana com os discípulos daquela localidade. Na ocasião da partida deles, lemos que "todos os discípulos, cada um com a sua mulher e os seus filhos, nos acompanharam até fora da cidade; e, ajoelhados na praia, oramos" (Atos 21.5).

Não cremos que essa informação esteja nas Escrituras por acidente. Tudo quanto foi escrito, para nosso ensino foi escrito (Romanos 15.4). Seguramente o Senhor queria que nós tomássemos conhecimento do exemplo dado por esses chefes de família: "cada um com a sua mulher e os seus filhos" se ajoelharam para orar. Esses filhos não estavam lá para brincar ou fazer companhia a outras crianças na comitiva do apóstolo. Seus pais intencionalmente os levaram para participar daquela reunião de oração!

É imperativo que os pais orem com seus filhos, que os levem aos cultos e os treinem nas práticas devocionais. Isso também é parte da educação espiritual. Temos visto muitos pais que nunca enfatizaram os valores espirituais aos filhos, lamentando-se profundamente pelo resultado de sua negligência. Mas também temos testemunhado muitos pais que, ao olharem para a firmeza de fé dos filhos já criados, celebram com gratidão a certeza dos resultados eternos e o senso de missão cumprida.

O ASPECTO NATURAL

Os pais devem prover orientação no aspecto natural tanto quanto no espiritual. Cada área da vida dos filhos deve ser impactada pelo ensino dos pais.

A Palavra de Deus apresenta questões naturais que não podem ser tratadas somente com princípios espirituais. Por exemplo, Paulo aconselha seu discípulo Timóteo a cuidar da alimentação: "Não beba somente água; beba também um pouco de vinho, por causa do seu estômago e das suas frequentes enfermidades" (1 Timóteo 5.23); este é um conselho de ordem natural. É lógico que o apóstolo cria no poder de Deus para curar as enfermidades; seu ministério foi fortemente marcado por curas e milagres. Contudo, isso não significa que conselhos práticos, de ordem natural, devam ser negligenciados. Não se lida com questões naturais apenas com princípios espirituais!

Outro exemplo disso pode ser visto na orientação de Paulo aos casais da igreja de Corinto. O apóstolo, tratando da vida íntima do casal, orientou: "a não ser talvez por mútuo consentimento, por algum tempo, para se dedicarem à oração. Depois, retomem a vida conjugal, para que Satanás não tente vocês por não terem domínio próprio." (1 Coríntios 7.5). O que Paulo estava dizendo? Que um casal não deveria se privar da vida sexual por muito tempo, nem mesmo sob o pretexto de se dedicar à oração. Por que não? Porque assim haveria risco de alguém ser tentado e, por falta de controle sobre o desejo, acabar caindo. Alguns acreditam que a única forma de manter o Maligno distante é com oração. Entretanto, o apóstolo, falando pelo Espírito de Deus, aponta que, nesse caso, somente oração não é suficiente para proteger um matrimônio. É lógico que Paulo não estava desmerecendo a oração; mas inegavelmente ele se recusava a espiritualizar o que era natural.

Assim também os pais devem instruir seus filhos nas questões naturais como nas espirituais. E no que exatamente consiste isso? Destacaremos alguns aspectos dessa educação natural, mas, primeiro, compartilharemos um exemplo que destaca a importância da educação paterna em áreas do desenvolvimento natural dos filhos:

> **LUCIANO**
>
> Quando eu e meus irmãos estávamos na fase da pré-adolescência, tivemos, certo dia, uma grande surpresa ao chegarmos em casa. O televisor da sala havia desaparecido! Fomos os três filhos indagar ao papai o que tinha acontecido com a TV. Depois da pergunta feita pelo Adriano, meu irmão mais velho, fomos

notificados que o televisor havia sido vendido, e que não havia planos para se comprar outro. Naquele dia, papai "baixou um decreto" determinando que iríamos aprender a ler. Além da leitura bíblica diária, que já era uma obrigação, teríamos que passar a ler um livro por semana.

A princípio, nenhum de nós gostou daquilo. Mas o que era chato no início deu lugar ao hábito que, por sua vez, deu lugar ao prazer. Hoje, ao olhar para trás, sou muito grato pela decisão de meu pai. Quando atingi a maioridade, já tinha lido centenas de livros. O "velho" — como carinhosamente o chamávamos (na maior parte do tempo pelas costas) — vivia repetindo: "quem lê mais pensa melhor, fala melhor, escreve melhor e vive melhor". O hábito da leitura nos levou a um aprendizado prático que nos ajudou muito na vida. E não foi somente nas questões espirituais!

Essa foi a razão pela qual eu não apenas incentivava, como também exigia que meus filhos, enquanto cresciam, lessem bastante. Esse também foi o motivo pelo qual a Kelly e eu os levamos a entender a importância de aprenderem outro idioma, o inglês. Em tempos de globalização, dominar uma língua mundial pode determinar acesso a muitas oportunidades profissionais, sem falar do crescimento em todas as áreas.

Os pais devem orientar seus filhos em relação a várias coisas. Destacaremos, a seguir, algumas delas.

Escolhas e decisões

Escolhas são necessárias e inevitáveis e trazem sempre consigo uma consequência: ônus ou bônus. O próprio Deus trabalhou esses conceitos com os israelitas:

> — Vejam! Hoje *coloco diante de vocês a vida e o bem, a morte e o mal.* Se guardarem o mandamento que hoje lhes ordeno, que amem o Senhor, seu Deus, andem nos seus caminhos e guardem os seus mandamentos, os seus estatutos e os seus juízos, então vocês viverão e se multiplicarão, e o

Senhor, seu Deus, os abençoará na terra em que estão entrando para dela tomar posse. Mas, se o coração de vocês se desviar, e não quiserem ouvir, mas forem seduzidos, se inclinarem diante de outros deuses e os servirem, então hoje lhes declaro que, certamente, perecerão; não permanecerão muito tempo na terra na qual, passando o Jordão, vocês vão entrar para dela tomar posse. Hoje tomo o céu e a terra por testemunhas contra vocês, que lhes propus a vida e a morte, a bênção e a maldição; escolham, pois, a vida, para que vivam, vocês e os seus descendentes, amando o Senhor, seu Deus, dando ouvidos à sua voz e apegando-se a ele; pois disto depende a vida e a longevidade de vocês. Escolham a vida, para que habitem na terra que o Senhor, sob juramento, prometeu dar aos pais de vocês, a Abraão, Isaque e Jacó. (Deuteronômio 30.15-20)

A declaração divina: "coloco diante de vocês a vida e o bem, a morte e o mal" não significa que o Senhor determinaria o que o seu povo desfrutaria. Ela aponta para o fato de que sempre haveria duas opções diante deles: a vida e o bem ou a morte e o mal. E, na sequência, o Criador adverte que as escolhas dos israelitas é que determinariam as consequências. Se eles escolhessem amar e obedecer a Deus, se dariam bem. Se, porém, escolhessem desobedecê-lo, se dariam mal.

À semelhança do Pai celestial, os pais terrenos também devem preparar os filhos para fazer as escolhas corretas na vida. Escolhas levam a consequências, tanto boas quanto ruins. E Deus orienta seu povo assim. O mesmo exemplo deve ser seguido pelos pais terrenos:

> Quando eu era menino em companhia de meu pai, uma criança inexperiente, mas única aos olhos de minha mãe, ele me ensinava e me dizia: "Que o seu coração retenha as minhas palavras; *guarde os meus mandamentos e você viverá*. Adquira a sabedoria, adquira o entendimento; não se esqueça nem se afaste das minhas palavras. *Não abandone a sabedoria, e ela guardará você; ame-a, e ela o protegerá*". (Provérbios 4.3-6)

A maioria dos conselhos, no livro de Provérbios, retrata o fato de que escolhas geram consequências. Por esse motivo, encontramos orientações sobre a importância das boas escolhas e advertências acerca das más escolhas. Destacaremos apenas algumas delas, a título de exemplo. Há *instruções* sobre confiar no Senhor (3.5,6), honrá-lo com os bens (3.9,10) e a importância da sabedoria (2.2-11 e 3.13-18). Também há *advertências* sobre a mulher adúltera (2.16-19), não negligenciar o bem (3.27,28), o comportamento dos ímpios e maus (4.14-17), os danos do adultério (5.3-14), o risco de ser fiador (6.1-5), a preguiça (6.6-11) e a maldade (6.12-15).

A forma de tratar as pessoas

Somos seres sociais. E a Bíblia é um livro que trata de relacionamentos. Nos Dez Mandamentos, temos quatro que retratam o relacionamento do homem com Deus e seis que tratam do relacionamento do homem com seus semelhantes. É impressionante quão abundantes são as orientações bíblicas sobre relacionamentos interpessoais.

Não podemos criar nossos filhos numa bolha. Quando o Senhor criou Adão, o primeiro homem, reconheceu que não era bom que ele ficasse *só* e providenciou uma esposa para ele. Provérbios adverte: "O solitário busca o seu próprio interesse e se opõe à verdadeira sabedoria" (Provérbios 18.1). Fomos programados, no projeto divino da criação, para o convívio social. Essa é a razão da abundância de ordenanças e orientações bíblicas sobre a maneira de nos relacionarmos com nossos semelhantes. Tiago, em sua epístola, deixou claro que a fé em Cristo não é compatível com uma forma errada de tratar as pessoas:

> Meus irmãos, vocês não podem ter fé em nosso Senhor Jesus Cristo, o Senhor da glória, e ao mesmo tempo *tratar as pessoas com parcialidade*.
>
> Se vocês, de fato, observam a lei do Reino, conforme está na Escritura: "Ame o seu próximo como a si mesmo", fazem bem. Se, no entanto, vocês *tratam as pessoas com parcialidade, cometem pecado*, sendo condenados pela lei como transgressores. (Tiago 2.1,8,9)

Isso é muito sério para ser ignorado!

Estamos escrevendo a pais cristãos que desejam reproduzir os princípios bíblicos na vida de seus filhos. E a forma de tratar os outros merece atenção.

O próprio Senhor Jesus ensinou muito acerca do modo em que devemos tratar as pessoas e conectou o entendimento do tratamento que damos aos outros com o princípio de escolhas e consequências. "— *Não julguem, para que vocês não sejam julgados.* Pois com o critério com que vocês julgarem vocês serão julgados; e *com a medida com que vocês tiverem medido vocês também serão medidos*" (Mateus 7.1-2).

> Não julguem e vocês não serão julgados; não condenem e vocês não serão condenados; perdoem e serão perdoados; deem e lhes será dado; boa medida, prensada, sacudida e transbordante será dada a vocês; porque *com a medida com que tiverem medido vocês serão medidos também.* (Lucas 6.37,38)

A didática de Cristo era clara, direta e objetiva: "[...] tudo o que vocês querem que os outros façam a vocês, façam também vocês a eles; porque esta é a Lei e os Profetas" (Mateus 7.12). Trata-se da lei da semeadura e da ceifa: "aquilo que a pessoa semear, isso também colherá" (Gálatas 6.7). O apóstolo Paulo também denominou esse princípio como a lei de dar e receber (Filipenses 4.14).

O ponto principal não é apenas evitar uma colheita ruim ou garantir a boa. A maneira de lidarmos com as pessoas também irá afetá-las! Seria egoísmo tratar os outros apenas pensando em como isso nos afeta. Por outro lado, seria irresponsável não ensinar as consequências de nossos atos.

Jesus, em seus ensinos, citou orientações do livro de Provérbios. Portanto, sustentou e validou para o nosso tempo a importância de dar atenção tanto ao comportamento como aos relacionamentos interpessoais.

> — Quando alguém convidá-lo para um casamento, não sente no lugar de honra, pois pode haver um convidado mais importante do que você. Então aquele que convidou os dois dirá a você: "Dê o lugar a este aqui." Então você irá, envergonhado, ocupar o último lugar. Pelo contrário, quando alguém convidá-lo, vá sentar no último lugar, para que, quando vier aquele que o convidou, diga a você: "Amigo, venha sentar num lugar melhor." Isso será uma honra para você diante de todos os demais convidados. Porque todo o que se exalta será humilhado; e o que se humilha será exaltado. (Lucas 14.8-11)

Os pais devem ensinar seus filhos a comportar-se adequadamente em público. É mais do que preocupar-se com a etiqueta e o protocolo.

Estamos falando de princípios. Preocupa-nos observar uma nova geração sem reverência pelo que é sagrado, sem respeito pelos mais velhos, sem consideração ao próximo. Educação começa em casa! Mais do que transmitir normas de procedimento e conduta devemos comunicar aos nossos filhos os *princípios* que nos levam a agir como agimos.

KELLY

Nossa filha Lissa estudou música por nove anos em uma escola que ficava no centro de Curitiba. Ela começou a estudar música aos 6 anos e creio que esse episódio que relatarei se deu cerca de um ano depois. Lembro-me que sempre ficava impressionada com a empolgação que nossa filha demonstrava ao se dirigir para a instituição onde essas aulas de música aconteciam. Não importava quão cedo ela precisava acordar.

Uma manhã, estava sem carro, então fomos de ônibus para o centro da cidade. Era uma experiência nova para nossa menina. Eu, assim como o Luciano, cresci fazendo uso do transporte público. Na época, em nossas cidades, nos referíamos ao ônibus como "circular". A Lissa estava achando a ideia interessante, e até chegarmos à "estação-tubo", como é chamado o ponto de ônibus característico da cidade de Curitiba, ela estava curtindo. Quando entramos no ônibus cheio de pessoas, sem lugar para nos sentar, com um *mix* de distintos odores, ela começou a reclamar. Dizia que o ônibus estava fedido, que queria se sentar. Ela manifestou seu "desconforto" de todas as formas possíveis, fazendo uso de palavras, caretas, suspiros. Sim, temos uma menina com arte nas veias, e o drama faz parte.

Entretanto, identifiquei ali uma oportunidade de ensino. Anunciei que, a partir daquele dia, iríamos utilizar o ônibus com mais frequência. Adotamos o meio de transporte para nossa locomoção para as aulas de música e de cidadania. A cada nova viagem, ensinava algo para ela. Falava sobre o valor das pessoas, mostrava como muitos acordavam cedo e se dirigiam para o trabalho. Os mal odores nem sempre são uma opção, muitos não conseguem comprar um bom desodorante. Pude ensiná-la a dar o lugar para os mais velhos, a resistir aos desconfortos sem fazer careta ou reclamações. E a lição mais importante: aproveitar aquele tempo para marcar com amor a vida das pessoas, com gentileza, um sorriso, uma palavra. A Lissa se tornou uma evangelista. Ela cedia o lugar com alegria. Foi um projeto bem-sucedido.

Ofícios e habilidades

As escolhas de vida devem ser feitas pelos filhos, não por seus pais. Não negamos isso. Contudo, embora a decisão de com quem irão se casar pertença aos filhos, cabe aos pais orientá-los, a partir do ensino de princípios, ajudando-os a fazer uma boa escolha. Semelhantemente, na questão profissional, a escolha também pertence a eles. Mas isso não significa que os pais não possam orientar e preparar seus filhos quanto a isso.

Apesar de nenhum filho ser, biblicamente falando, obrigado a seguir a carreira ou ofício dos seus progenitores, vemos um retrato de um comportamento paterno que aparece repetidamente nas Escrituras Sagradas: pais que ensinavam um *ofício* aos seus filhos. Aliás, vale ressaltar que nos tempos antigos era normal que um filho aprendesse o ofício de seu pai. O próprio Jesus foi chamado tanto de *o filho do carpinteiro* (Mateus 13.55) como também foi chamado de *carpinteiro* (Marcos 6.3). Isso aponta para o fato de que, antes do seu ministério, Jesus foi tanto um aprendiz de José como depois exerceu o mesmo ofício que seu pai terreno.

Por outro lado, encontramos, no Antigo Testamento, o exemplo de um pai, chamado Lameque, que teve três filhos que não necessariamente reproduziram o ofício paterno; cada um deles desenvolveu uma aptidão diferente (Gênesis 4.19-22). Embora o texto também revele que depois passaram a ensinar suas mesmas atividades aos seus filhos. Focar esse aspecto nos ajuda a ter o equilíbrio de não sermos pais que *forcem* a escolha do ofício daqueles que geramos e criamos.

Atualmente, a maioria dos pais não tem aptidão para treinar os filhos nas profissões que eles almejam, mas podemos cooperar para que eles alcancem isso. Podemos ser mais eficazes nesse papel; desde oferecer-lhes o encorajamento necessário a lutarem por seus sonhos até fazer investimentos financeiros.

> **KELLY**
>
> Meus pais não tiveram condições de bancar escolas particulares (nem o colégio, muito menos a faculdade); nossa condição não permitia isso e éramos três filhos. Eles não podiam sequer bancar um curso de inglês! Mas nos encorajaram a trabalhar cedo para que, com nossa própria renda, pudéssemos investir nisso. E também nos orientaram a ler muito e a não negligenciar as oportunidades acessíveis de aprendizado e crescimento.

Podemos ajudar os filhos a que se preparem, para o futuro mesmo que não tenhamos muitos recursos financeiros. Mas até mesmo nessa área podemos nos organizar. Nós fizemos um investimento num fundo de previdência desde que nossos filhos eram bem novos. Não tínhamos muitas condições quando começamos a fazer isso, mas decidimos priorizar um investimento de R$ 80,00 mensais para cada um deles. Renunciamos a outras coisas que não deveriam concorrer com o lugar de importância que esse investimento tinha; sacrificamos passeios e diversão mas nunca negociamos o investimento naquele fundo. Quando cada um dos dois completou 18 anos de idade, tínhamos recursos para enviá-los a fazer faculdade fora do país (pois, além dos estudos em si, também havia a questão da experiência cultural e linguística que gostaríamos que ambos tivessem).

Parece-nos que, mesmo diante de tanto avanço tecnológico no mundo moderno, os pais estão se tornando cada vez mais omissos na educação dos filhos. Não estamos falando apenas sobre a comunicação de valores e bons modos. Educação é algo abrangente! Quando ainda não havia escolas no modelo como temos hoje, a alfabetização acontecia em casa. E muitas outras coisas práticas eram ensinadas pelos pais no sentido de preparar seus filhos para a vida.

Começamos a ensinar os nossos filhos sobre casamento, família e criação de filhos mesmo quando ainda eram solteiros. Fizemos isso porque a melhor hora de aprender sobre o assunto é antes de casar-se, não depois! Procuramos também infundir-lhes a visão correta de um casamento duradouro e dos critérios que deveriam envolver a escolha do futuro cônjuge.

Ensinamos sobre como lidar com o dinheiro. Desde a ideia de se profissionalizarem até formas alternativas de gerar renda, bem como administrar o que se tem e investir corretamente os recursos. Nós os treinamos com a visão de juntar primeiro e gastar somente depois, evitando dívidas e compulsões de consumo. Trabalhamos com eles os valores da generosidade, da simplicidade e do contentamento.

Esses princípios certamente irão norteá-los e protegê-los. Contudo, a maioria dos filhos cresce sem direção de vida por parte dos pais. Devemos dar a eles a clareza de um destino e as ferramentas que os auxiliarão nessa jornada.

ESTABELECENDO LIMITES

Educação é algo abrangente e isso envolve o estabelecimento de *limites*. O que você sente quando vê uma criança pequena fazendo *manha* num corredor de supermercado? Dando um tapa no rosto de um adulto? Dando ordens aos mais velhos? Esperneando e dando um espetáculo de *birra*? Francamente, sentimos compaixão dessa criança por duas distintas razões; a primeira é que a falta de limites, demonstrada desde cedo, trará problemas para o seu futuro; a segunda razão é porque a criança não é a culpada de tal comportamento. O que lhe falta? Crianças não se educam sozinhas. Elas precisam de ajuda, e isso envolve tanto a educação (que estabelece os limites) como a correção (que os fortalece).

A criança que não recebe orientação de comportamento está entregue a si mesma, e a Palavra de Deus garante que essa criança envergonhará a sua mãe (Provérbios 29.15). Os limites precisam ser estabelecidos para que elas saibam por onde e como devem prosseguir. Assim como quando viajamos em uma estrada, com neblina intensa, durante a noite, as faixas de sinalização nos confortam, trazendo clareza de por onde seguir, do mesmo modo são os limites na educação dos filhos. Vimos que a Bíblia estabelece esse mesmo paralelo quando fala da educação dos filhos: "Ensine a criança *no caminho em que deve andar*" (Provérbios 22.6). O resultado de caminhos devidamente apontados? O texto sagrado responde: "e ainda quando for velho *não se desviará* dele".

Como estabelecer limites?

Os responsáveis pela educação da criança precisam falar a mesma língua, trabalhar com os mesmos parâmetros. Então, pai e mãe precisam decidir conjuntamente o que importa para eles. A Bíblia apresenta, com clareza, muitos aspectos do comportamento que o casal implementará como estilo de vida familiar por amar e desejar honrar a Deus. Os princípios bíblicos para nós, pais cristãos, são inegociáveis. No entanto, naquelas áreas em que a Bíblia não é tão específica, quais serão os valores a serem transmitidos? Quais comportamentos serão aceitáveis? Cada família sentirá a necessidade de definir (e ajustar) limites em detalhes como o comportamento à mesa, o tempo e os tipos de entretenimento etc.

Estando os pais de acordo, precisam se certificar de que todos os cuidadores da criança trabalharão em cooperação com os limites estabelecidos: avós, babás, professores ou quem quer que seja que coopere com o cuidado ou supervisão da criança.

Vale ressaltar que, quando pensamos em comportamentos aceitáveis, normalmente tomamos como base a experiência que tivemos em nossa própria casa, no convívio com nossa própria família. Portanto, considerando que pai e mãe vieram de lares diferentes, os ajustes serão inevitáveis. Em nossa casa também foi necessário efetuar esse tipo de ajustes.

> **KELLY**
>
> Amo pensar nas Escrituras com a ótica apresentada pelo salmista: "Lâmpada para os meus pés é a tua palavra, ela é luz para os meus caminhos" (Salmos 119.105). Minha conversão se deu quando eu tinha 15 anos e o grupo de jovens do qual eu fazia parte constumava fazer vigílias de oração nos montes. Recordo-me de algumas vezes sentir-me tão amedrontada quando íamos, nas madrugadas, a lugares onde o acesso requeria uma boa caminhada em meio à mata escura. Que medo de pisar em uma cobra, em algum esterco ou mesmo em um buraco. Quanto alívio quando alguém apontava o caminho com uma lanterna. Eu particularmente gostava de ter luz logo à minha frente, onde colocaria os meus pés. O mesmo conforto será trazido na jornada de nossos filhos à luz da Palavra!

Como comunicar limites?

A comunicação dos limites aos filhos deve envolver, pelo menos, três elementos essenciais: 1) consistência, 2) clareza e 3) repetição.

Quanto à *consistência*, é importante compreender que, quando os limites são estabelecidos pelos pais, eles serão transmitidos durante *todo* o processo de crescimento da criança. Ou seja, os limites não podem ficar mudando toda hora. É necessário ter consistência. Ela é um trilho claro para toda a vida.

Em relação à *clareza*, vale destacar que a criança se sentirá segura quando as regras são apresentadas de forma inteligível. Não se deve presumir bom senso ou maturidade para que elas apliquem regras específicas a ambientes ou circunstâncias que, ainda que compreendidas por um adulto, na visão delas não acusam a mesma similaridade. Por exemplo, sempre que um lugar diferente for frequentado pela família, é importante que os pais expliquem aos filhos, de forma específica e compreensível, como (e talvez por que) eles devem se portar.

> **LUCIANO**
>
> Recordo-me de comunicarmos aos nossos filhos pequenos quais eram nossas programações de família e também de ensiná-los como deveriam se comportar em cada lugar.
>
> Quando íamos à igreja, falávamos que a igreja é um lugar muito especial para nossa família porque amamos a Deus e que nos reuniríamos com nossos irmãos e irmãs na fé para celebrar ao Senhor, prestando-lhe culto. Então, ensinávamos que a igreja é um lugar de reverência. Esclarecíamos que ela era diferente de um parque, onde crianças podem correr, brincar e se sentir livres. Instruíamos que eles ficariam conosco e em silêncio e, somente quando necessário, deveriam comunicar-se falando baixinho. Quando iam para as reuniões do Ministério Infantil, nós os ensinávamos como deveriam se portar, respeitando as pessoas, ajudando a recolher os brinquedos e sendo bons amigos para com as outras crianças.
>
> Nossa filha Lissa estudou música desde pequena, numa instituição que recomendava que ela assistisse a concertos de músicos clássicos. Eu a levava às audições, e as regras foram introduzidas para todas as crianças que, de modo admirável, se comportavam muito bem permanecendo quietinhas durante as apresentações, aplaudindo no momento certo. Elas sabiam que durante uma apresentação ninguém circulava no auditório e seguiam todos os

limites apresentados. Porque as regras foram comunicadas com firmeza e clareza. Conduzindo-se dessa forma, é possível aos pais ver os filhos respeitando esses limites em qualquer ambiente...

Quanto à *repetição*, é honesto dizer que, à semelhança de outros pais, muitas vezes nós também nos sentíamos cansados por ter que repetir tantas vezes as mesmas falas. Achávamos, em alguns momentos, ser quase impossível que nossos filhos não se lembrassem de uma recomendação. Em momentos como esses, respirávamos fundo e, com amor, apresentávamos novamente aquele mesmo princípio. E depois de novo e de novo e, se necessário, mais uma vez.

> **KELLY**
>
> Lembro-me de, algumas vezes, sentar-me a mesas tão bem arranjadas e ficar desesperada por não saber o que fazer com tantos talheres e taças. Procurei aprender o funcionamento de uma mesa posta em aulas de etiqueta que me proporcionaram clareza e segurança. Mas confesso que, várias vezes, quando surgia uma nova situação, mesmo após o aprendizado, eu não me lembrava se deveria começar com os talheres de dentro ou de fora, qual a taça correta para qual tipo de bebida... Então me ocorreu que, se como adultos, esquecemos detalhes relevantes, as crianças também se esquecem. Sejamos pacientes.

Muitas vezes, em vez de falar sobre um limite, fazíamos perguntas relacionadas e celebrávamos quando a resposta nos poupava uma nova citação. O processo de educação, somado ao *exemplo* e à *disciplina* (assuntos que trataremos nos próximos capítulos) são de suma importância na preparação de nossos filhos.

* * *

PERGUNTAS PARA REFLEXÃO

1. A educação dos filhos se dá por preceitos claros que devem ser transmitidos pelos pais. Envolve tanto o aspecto espiritual como o natural. Como você avalia seu desempenho em cada uma dessas áreas?

2. Você se considera um pai/mãe que ensina os seus filhos a fazerem escolhas ou apenas tem escolhido por eles o tempo todo?

3. Além de orientar as escolhas, você diria que ensina os seus filhos sobre as consequências que as escolhas geram?

4. Você educa seus filhos para uma vida sociável? Tem preparado eles para o convívio com as diferenças e discordâncias?

5. Você já tem algum plano ou até mesmo já tem feito algum movimento em relação à futura formação profissional dos filhos?

6. Você diria que é um pai/mãe que define limites claros para seus filhos?

7. Se sim, acredita que tem conseguido comunicá-los de modo eficiente?

8
ENSINANDO PELO EXEMPLO

Certa ocasião, uma pessoa nos perguntou qual era um dos elementos que considerávamos ser dos mais importantes na criação dos filhos. A pergunta, por si, já excluía um assunto tratado antes, da dependência de Deus (tanto dos princípios universais da sua Palavra como da orientação personalizada do seu Espírito). Nossa resposta, ainda que sem consideração prévia, foi exata e instantaneamente a mesma: o exemplo dos pais.

O modelo planejado pelo Criador, para toda a humanidade, é muito específico. O Eterno trabalha com referenciais que servem de exemplo aos outros. Isso é um fato incontestável nas Escrituras. A vida cristã e, em especial, a liderança no Corpo de Cristo, deve ser fundamentada no exemplo. O maior ensino que podemos transmitir aos nossos filhos é o exemplo. Paulo empregou afirmações como "para que por nosso exemplo vocês aprendam" (1Coríntios 4.6). Logo, há uma poderosa didática no exemplo. Observe esta outra declaração de Paulo registrada no mesmo capítulo:

> Não escrevo estas coisas para que vocês fiquem envergonhados; pelo contrário, para admoestá-los *como a meus filhos amados*. Porque, ainda que vocês tivessem milhares de instrutores em Cristo, não teriam muitos pais, pois eu gerei vocês em Cristo Jesus, pelo evangelho. Portanto, eu

peço a vocês que *sejam meus imitadores*. Por esta causa, eu enviei até vocês Timóteo, que é meu filho amado e fiel no Senhor, *o qual fará com que vocês se lembrem dos meus caminhos em Cristo Jesus*, como, por toda parte, ensino em cada igreja. (1Coríntios 4.14-17).

É notório que o apóstolo enfatiza a relação entre pais e filhos, ainda que aplique isso dentro de um paralelo na vida espiritual. Ele reivindicou sua paternidade e os exortou a serem seus imitadores. Mesmo quando ausente, enviou seu discípulo Timóteo não apenas para comunicar instruções, mas para fazer com que eles recordassem seus caminhos, ou seja, seu exemplo de conduta. Na perspectiva bíblica, não é o padrão de liderança cristã que é reproduzido pelos pais. Muito pelo contrário! É o padrão da paternidade natural que é aplicado na liderança cristã. Mais adiante, na mesma carta, encontramos outra declaração semelhante: "Sejam meus imitadores, como também eu sou imitador de Cristo" (1Coríntios 11.1).

O apóstolo, ao chamar seus filhos espirituais a imitarem seu exemplo, aponta que ele, por sua vez, também se espelhava no exemplo de Cristo. Entretanto, o que não se percebe lendo apenas a instrução de Paulo aos crentes de Corinto é que foi o próprio Jesus quem autenticou o padrão:

> Depois de lhes ter lavado os pés, Jesus pôs de novo as suas vestimentas e, voltando à mesa, perguntou-lhes:
>
> — Vocês compreendem o que eu lhes fiz? Vocês me chamam de Mestre e de Senhor e fazem bem, porque eu o sou. Ora, se eu, sendo Senhor e Mestre, lavei os pés de vocês, também vocês devem lavar os pés uns dos outros. Porque *eu lhes dei o exemplo, para que, como eu fiz, vocês façam também*. (João 13.12-15)

Se o próprio Senhor Jesus ensinava por meio do exemplo, não apenas por meio de palavras, como questionar a eficácia de tal pedagogia?

As Escrituras ordenam que sigamos o exemplo de Jesus. E, vale ressaltar, as orientações bíblicas nesse sentido são recorrentes. Pedro, em sua primeira epístola, escreveu: "foram chamados, pois também Cristo sofreu no lugar de vocês, deixando exemplo para que vocês sigam os seus passos" (1Pedro 2.21). João, o apóstolo do amor, também registrou o mesmo princípio: "Quem diz que permanece nele, esse deve também andar assim como ele andou" (1João 2.6). Paulo, como já vimos, também pontuava a importância de reproduzir o modelo do Mestre: "Tenham entre vocês o mesmo modo de pensar de Cristo Jesus" (Filipenses 2.5). Isso deixa evidente que não havia dúvida entre os primeiros seguidores de Cristo acerca das instruções de seguirem o seu exemplo.

Atribui-se à Albert Schweitzer, teólogo e médico alemão do século XIX, a seguinte afirmação: "Dar o exemplo não é a melhor maneira de influenciar os outros. É a única". Acreditamos que tal constatação da eficácia da influência, no comportamento humano, é apenas a confirmação da veracidade da Palavra de Deus. Falando honestamente, nem há necessidade de se conhecer a Bíblia para se chegar a essa conclusão; basta uma boa dose de observação do comportamento humano. Sêneca, filósofo espanhol e um proeminente escritor no Império Romano no primeiro século, afirmou que "é lento ensinar por teorias, mas breve e eficaz fazê-lo pelo exemplo". Entretanto, para nós, cristãos, é imperativo reconhecer que se trata de um princípio divino, não apenas da constatação de uma conduta de bons resultados.

Quanto ao impacto do exemplo dos pais na vida dos filhos, constatamos isso tanto ao considerar a repercussão da conduta dos nossos pais em nós como também ao averiguar o que nosso comportamento gerou na vida dos nossos filhos.

> **LUCIANO**
>
> Aprendi, em casa, desde cedo, a importância da leitura e do estudo bíblico. A impressão é que esse entendimento parece estar, desde sempre, dentro de mim. Não recordo de momentos em que meus pais tenham dado uma aula teórica sobre o assunto. Mas entre as minhas memórias mais fortes e usuais está a imagem de meu pai lendo e estudando a Bíblia por longos períodos, dia após dia. A figura das Bíblias, em várias versões e línguas, abertas em cima da mesa da sala de jantar (não havia escritório na casa em que fui criado, por isso a mesa tinha múltiplas funções), todas grifadas, comentadas até faltarem espaço, são vivas dentro de mim. As contínuas argumentações de meu pai, se os assuntos passavam ou não pelo crivo da Palavra de Deus, suas conversas e discussões com amigos, tudo gritava, em alto e bom som, acerca da importância da leitura, da meditação, do estudo e da prática das Escrituras.

É lógico que nem todos tiveram esse exemplo em casa. Meu próprio pai não teve, porque se converteu a Cristo depois de chegar à fase adulta. Entretanto, uma vez que ele me proveu esse exemplo, a probabilidade de que isso se reproduzisse nas gerações seguintes foi elevada. Meus filhos cresceram com as mesmas marcas e os mesmos exemplos e sei que, por esse motivo, com meus netos não será diferente.

Os pais não deveriam olhar para a responsabilidade do exemplo como um peso a ser carregado, mas com empolgação, compreendendo que liderar é *influenciar*. Devemos buscar a Deus e andar em sua presença com empolgação; não se trata de um castigo que Deus impôs à humanidade. Temos o privilégio de, além de desfrutar da presença do Senhor e das bênçãos decorrentes dessa escolha, impactar não apenas a vida terrena dos nossos filhos, mas também sua eternidade.

KELLY

Certa ocasião, após um culto, fui abordada por uma mulher que me questionava como ensinamos os nossos filhos a se renderem a Deus, em adoração, como eles haviam feito. Ela disse que nunca tinha visto crianças prostradas com o rosto no chão, em reverência a Deus. Ela estava emocionada e disse que o motivo da pergunta é porque ela gostaria de ensinar os filhos dela a cultuarem ao Senhor dessa forma. Percebi, naquele momento, que nunca havíamos solicitado deles esse tipo de comportamento; nem sequer os havíamos instruído, de maneira formal e intencional, sobre a importância da rendição plena na adoração. Portanto, apenas respondi que nunca dissemos a eles para fazerem aquilo; o aprendizado se deu através do exemplo. Meu marido e eu, naquele dia, não estávamos prostrados como os nossos filhos no momento do louvor, mas essa era a forma em que eles nos viram adorando muitas vezes, tanto em nossa casa como também nas celebrações públicas.

Ensinamos aos nossos filhos a importância do tempo devocional com Deus. Demos instruções verbais a eles. Nossa prática, entretanto, *reforçou* o ensino e proveu-lhes uma melhor compreensão de que nossa família valorizava essa ação. Tudo o que fazemos diante dos filhos, à medida que crescem, é didático. Se apenas falássemos acerca da importância de relacionamento diário com o Senhor sem, contudo, lhes oferecer exemplo, nosso ensino poderia até surtir algum efeito. Entretanto, ao corroborar o ensino pela prática exemplar, produzimos um nível de convicção bem mais profundo.

A importância do exemplo está relacionada a todas as áreas da nossa vida. Contudo, se entendemos, como pais cristãos, que o Reino de Deus vem em primeiro lugar, os exemplos da vida espiritual deveriam ter especial atenção. Amar e buscar ao Senhor de todo coração, honrá-lo com uma vida pautada pelas Escrituras, servir ao próximo e experimentar as manifestações sobrenaturais dos céus *em* e *através* de nós são aspectos do exemplo que procuramos transmitir aos nossos filhos, tanto por preceito como também pelo nosso comportamento.

Um ambiente de fé e oração, de decisões baseadas em plena confiança no Senhor, de se pautar o que fazemos para Deus — e o que esperamos dele — fundamentados na Palavra, costuma produzir resposta. E podemos atestar que nossos filhos sempre reagiram positivamente a esse tipo de estímulo.

> **KELLY**
>
> Quando o Israel tinha 6 anos e a Lissa 3, estávamos vivendo um momento bem desafiador. Foi um tempo em que tivemos que exercitar fé e dependência no cuidado e na provisão divinos. Na ocasião, estávamos iniciando, em Irati, Paraná, a Comunidade Alcance. E, ao decidir investir naquele projeto, abrimos mão de salário, plano de saúde e até mesmo da nossa casa própria, que foi investida naquela empreitada. Por esse motivo ouvi de pessoas próximas, que obviamente se preocupavam conosco, que estávamos sendo insensatos ao abrir mão dessas "seguranças". Recordo-me de combater em meu coração a fala, reafirmando a mim mesma, em fé, que estávamos na total dependência de Deus e não seríamos envergonhados; estávamos firmes em uma convicção proveniente de uma direção clara de Deus para nós.
>
> Bem, esse era o contexto. Passemos ao ocorrido. O Israel tinha ido ao banheiro, e a Lissa, mais nova, amava seguir o irmão. O Isra impediu que ela entrasse atrás dele empurrando a porta e ela, por sua vez, empurrou de volta. Eu ouvi o Isra rindo daquilo. Adverti que não podiam brincar assim porque era perigoso. O empurra-empurra

continuou, e poucos segundos depois foram suficientes para que o mal que eu temia acontecesse. O dedo minguinho direito da Lissa foi literalmente esmagado na dobradiça da porta. Ao ouvir o grito e o choro, eu sabia que era algo sério. Corri para atendê-la e me assustei muito ao ver o dedinho dela pendurado.

Sentei-me ao chão para tentar acalmá-la (e também tentando me acalmar) e pensar o que fazer; foram uns minutos de reorganização mental em meio ao caos.

O Israel ficou assustado com a situação e disse que sabia o que tínhamos que fazer. Ele disse: "Vamos orar, mãe!". E iniciou uma oração cheia de fé declarando restauração sobre o dedinho da irmã. Ouvimos um estalo, o dedinho que estava pendurado, voltou para o lugar. Lembro-me do Isra dizendo: "*Yes!* Meu primeiro milagre, igual meu pai!".

Na sequência, pedi a um casal da igreja que nos desse carona até o hospital, pois o Luciano estava pregando fora naquele dia. Presenciamos, naquela ocasião, o melhor atendimento médico e hospitalar que já tivemos até hoje e, para mim, foi como uma declaração de amor de Deus; sentia ele me dizendo: "Vocês ousaram confiar em mim, então eu cuido de vocês".

Depois de fazer uma radiografia, solicitada pelo médico, rapidamente retornamos para a sua sala com o exame em mãos. O doutor ficou confuso. O dedo mindinho da Lissa tinha voltado ao lugar com a oração, mas ainda tinha marcas do ocorrido: a pele acusava que o dedo havia sido comprimido e ainda vertia um pouco de água. O médico, analisando a marca no tecido da pele, afirmou que não era possível aquele dedo não estar quebrado. Lembro-me bem da cena daquele profissional coçando a cabeça enquanto colocava as chapas de raio x contra a luz, para checagem da imagem. Ele repetia que aquilo não fazia sentido.

Retornamos para casa muito agradecidos ao Senhor pelo seu socorro; começando pela cura instantânea do dedo da Lissa e estendendo-se ao atendimento médico mais VIP de nossa história. Aquilo nos lembrava que, se tivesse sido necessário, a ajuda médica também teria sido providenciada.

É claro que, depois de alguns anos, voltamos a ter tanto salário como plano médico. E, muito tempo depois, também conseguimos a nossa casa própria. Contudo, nesse ínterim, pudemos ensinar de modo prático o Israel e a Lissa de que o Reino de Deus deve vir em primeiro lugar, que obedecer ao chamado divino (ainda que de forma sacrificial) é fundamental, que confiar no Senhor e em seu cuidado sempre vale a pena.

Nossos filhos presenciaram inúmeras intervenções divinas enquanto cresciam. Respostas às orações, provisões sobrenaturais, livramentos, direcionamento; eles também testemunharam muitas curas em nossas ministrações. Assim, foram encorajados a crer nas manifestações do poder de Deus e agir como foi testemunhado. Bill e Beni Johnson, em seu livro *"Filhos Que Vencem Gigantes"*, afirmam:

> A história de Davi e Golias que fala sobre derrotar gigantes é muito conhecida tanto dentro quanto fora da Igreja. No entanto, há vários gigantes mortos na Bíblia, e foram os seguidores de Davi que os mataram.
>
> Se queremos que nossos filhos vençam gigantes, precisamos enfrentar e vencer nossos gigantes. O nosso exemplo e a nossa força serão a herança deles.[1]

Mesmo quando falamos de caráter, deveríamos considerar que os exemplos dados nessa área também refletem o aspecto prioritário da vida espiritual, uma vez que dizem respeito à obediência dos preceitos divinos, revelados em sua Palavra.

ISRAEL

Era um dia de semana como de costume, à exceção de que, após o almoço, sairíamos de viagem. A correria fez que fôssemos comer num restaurante próximo de casa. Apesar de o restaurante ser perto o suficiente para irmos a pé, a preocupação com o tempo de uma longa viagem fez que meu pai saísse de carro, com todas as malas feitas e devidamente acomodadas. Depois de um almoço apressado, voltamos para o carro e, na manobra para sair de uma vaga apertada, meu pai acabou encostando no carro de trás. Imediatamente ele saiu do carro, e eu o segui para checar o que

---

[1] JOHNSON, Bill & Beni. Filhos que vencem gigantes. São Paulo: Editora Vida, 2019.

havia acontecido. Não parecia haver dano algum, exceto pelo fato de que o engate traseiro do nosso automóvel havia amassado um pouquinho a placa de identificação do outro veículo. Como não havia dano evidente e tudo parecia estar bem, pensei: "Que bom, podemos ir sem nenhum atraso".

Papai me pediu que esperasse no carro e voltou para o restaurante. Acompanhando a cena pela janela, percebi que ele foi até o dono do restaurante e pareceu perguntar algo sobre o carro; aquele senhor, por sua vez, indagou alguns clientes no estabelecimento. Vi, então, meu pai atravessando a rua e se dirigindo até o prédio em frente do qual havíamos estacionado. Ali, percebi que ele conversava com o porteiro, aparentemente perguntando sobre o dono do veículo. Depois, ele se dirigiu à outra portaria do prédio ao lado e depois à outra. Enfim, após muitos minutos de espera, alguém saiu do terceiro edifício e acompanhou o meu pai até o carro; ele havia localizado o dono do automóvel que, admirado, afirmou não ter sido nada. Meu pai disse que também achou que não havia causado dano no carro, mas que ele não tinha o direito de decidir aquilo sozinho. Insistiu em deixar o seu número de telefone para que, se algum dano fosse descoberto posteriormente, aquele homem pudesse localizá-lo. Então, somente então, ele entrou no carro e saímos de viagem, com o cronograma bem atrasado e uma lição bem transmitida.

Esse episódio me marcou. Eu pensei em vários motivos pelos quais ele não precisaria ter feito aquilo tudo. Mas vi nessa situação o que sempre via no meu pai: caráter. Vi uma atitude honrável e honesta como sempre. Eu percebi no meu pai uma inquestionável consistência. Havia harmonia entre o que ele acreditava, ensinava e aquilo que praticava; isso chamou minha atenção desde cedo. Na verdade, posso dizer que eu nunca vi meu pai voltar atrás com algo que disse. Com exceção de uma única vez, que também me serviu de exemplo e que compartilharei mais adiante.

A FALTA DE EXEMPLO

O exemplo é algo muito poderoso; quer bom quer ruim, o seu impacto é imensurável. E não se limita ao dever dos pais para com os filhos, embora seja a nossa ênfase aqui. O apóstolo Pedro advertiu esposas cujos maridos não eram convertidos a irem *além* da pregação verbal: "Igualmente vocês, esposas, estejam sujeitas, cada uma a seu próprio marido, para que, se ele ainda não obedece à palavra, seja ganho sem palavra alguma, *por meio da conduta de sua esposa, ao observar o comportamento* honesto e cheio de temor que vocês têm" (1Pedro 3.1,2).

É lógico que, ao empregar a expressão "sem palavra", o apóstolo não negava a importância da proclamação do evangelho. Até porque a Bíblia não se contradiz, e a pregação é uma ordenança. Contudo, quando se fala de relacionamentos, o que inevitavelmente envolve convívio, o exemplo sustentará ou anulará a mensagem que foi pregada.

Mateus, retratando justamente a questão do ensino pelo exemplo, registrou a seguinte orientação de Cristo às multidões (e também aos seus discípulos):

> "Então Jesus falou às multidões e aos seus discípulos: — Na cadeira de Moisés se assentaram os escribas e os fariseus. Portanto, façam e observem tudo o que eles disserem a vocês, mas *não os imitem em suas obras*; porque dizem e não fazem" (Mateus 23.1-3).

Presumimos que Jesus, em outras palavras, estava dizendo: "Não deixem que a falta de exemplo dos fariseus os leve a rejeitar o que eles ensinam a vocês. O ensino verbal deles é bíblico e deve ser levado a sério, mas a conduta deles é desprezível. Eles estão aprovados na teoria, mas reprovados na prática". E nos leva a questionar: qual seria a necessidade de orientações como estas, de Jesus e de Pedro, se o exemplo não falasse mais alto do que nossas palavras?

Entendo que o Mestre indicava que a falta de exemplo de quem ensina não precisa se transformar em desculpa para que alguém escolha não obedecer à Palavra de Deus. Contudo, o próprio fato de que Cristo chama o povo a prestar atenção na veracidade das Escrituras, a despeito do comportamento dos seus mestres, indica que o exemplo de conduta — quer admirável quer refutável — tem efeitos profundos. E, se isso já se constata entre adultos, o que dizer do seu impacto nas crianças?

A força do exemplo pode ser tão penetrante nos filhos que, até de forma inconsciente, a conduta se repete. Contudo, isso não se limita apenas aos bons exemplos, mas também aos maus. A Bíblia registrou que "Abraão dizia que Sara, a mulher dele, era sua irmã" (Gênesis 20.2). E esta não foi a única vez que isso aconteceu. Na verdade, tratava-se de um acordo do patriarca com sua esposa desde o início das peregrinações:

> Havia fome naquela terra. Assim, Abrão foi para o Egito, para ali ficar, porque era grande a fome na terra. Quando se aproximava do Egito, quase ao entrar, disse a Sarai, sua mulher:
>
> — Ora, bem sei que você é uma mulher muito bonita. Os egípcios, quando virem você, vão dizer: "Essa é a mulher dele." Então eles vão me matar, deixando você com vida. Diga, pois, que você é minha irmã, para que me tratem bem por sua causa e, por amor a você, me conservem a vida. (Gênesis 12.10-13)

Isto tudo se deu antes mesmo do nascimento do filho da promessa e não há evidências de repetição do comportamento. Mais adiante, porém, encontramos o registro de Isaque repetindo o mesmo erro de Abraão. Isso nos leva a considerar a possibilidade de que, se o mau exemplo não se repetiu, no mínimo, foi perpetuado como uma história da qual não houve retratação e conserto.

> "Isaque, pois, ficou em Gerar. Quando os homens daquele lugar perguntaram a respeito de sua mulher, ele disse: 'É minha irmã.' Ele tinha medo de dizer: 'É minha mulher', porque pensava assim: 'Os homens do lugar me matarão por causa de Rebeca, porque ela é muito bonita'". (Gênesis 26.6,7).

Podemos dizer o mesmo de Isaque. O filho de nascimento milagroso tratava os filhos com distinção: "Isaque amava Esaú, porque se saboreava de sua caça; Rebeca, porém, amava Jacó" (Gênesis 25.28). No entanto, apesar da dor de ser preterido pelo pai, que não escondia a preferência pelo mais velho, Jacó repete o mesmo erro no exercício da sua paternidade:

> "Ora, *Israel amava mais José do que todos os seus outros filhos*, porque era filho da sua velhice; e mandou fazer para ele uma túnica talar de mangas compridas. *Quando os seus irmãos viram que o pai o amava mais* do que todos os outros filhos, *odiaram-no* e já não podiam falar com ele de forma pacífica" (Gênesis 37.3,4).

Registramos aqui que a preferência é um erro terrível com consequências emocionais devastadoras na vida dos filhos preteridos. Basta reconhecer que o Pai celestial não faz acepção de pessoas; todos os filhos de Deus são igualmente amados por ele. Mas, voltando ao exemplo bíblico dos patriarcas da nação escolhida, questionamos: será que Jacó não sabia, por experiência própria, que isso gerou dores desnecessárias? É óbvio que sim! Entretanto, às vezes até de modo inconsciente, alguns são levados a repetir os erros dos pais. A didática do exemplo é imensurável. Talvez isso tenha contribuído para que ele viesse a repetir o erro de Isaque.

Não se pode ignorar, ao tratar deste assunto, que às vezes há aqueles pais que não apenas deixam de dar um bom exemplo, como também servem de tropeço aos filhos. As crianças são como esponjas, pois absorvem muito da conduta e do comportamento dos que os rodeiam, especialmente os que exercem maior influência: os pais. Cremos que essa seja a razão de Cristo ter falado sobre o cuidado com os pequeninos:

> E quem receber uma criança, tal como esta, em meu nome, é a mim que recebe.
>
> — E, *se alguém* fizer tropeçar um destes pequeninos que creem em mim, seria melhor para esse que uma grande pedra de moinho fosse pendurada ao seu pescoço e fosse afogado na profundeza do mar.
>
> — Ai do mundo por causa *das pedras de tropeço*! Porque é *inevitável* que elas existam, mas *ai de quem é responsável por elas*! (Mateus 18.5-7).

É claro que, em seu ensino, Jesus não tratava exclusivamente do aspecto paterno para com os filhos; ele se referia às crianças de um modo geral. Em contrapartida, não há como negar que, ao tratarem com seus próprios filhos, os pais também estão incluídos nessa advertência de não fazer tropeçar os pequeninos.

A palavra traduzida por "pedra de tropeço", no original grego, é *skandalizo* (σκανδαλιζω) e seu significado: "colocar uma pedra de tropeço ou obstáculo no caminho, sobre o qual outro pode tropeçar e cair". Contudo, a ideia que se deriva da palavra (ou exemplo) é bem abrangente e inclui o aspecto metafórico. Strong sugere, ainda, as seguintes aplicações:

> "Ofender; seduzir ao pecado; fazer uma pessoa começar a desconfiar e abandonar alguém em quem deveria confiar e obedecer; provocar abandono;

estar ofendido com alguém; ver no outro o que eu desaprovo e me impede de reconhecer sua autoridade; fazer alguém julgar desfavoravelmente ou injustamente a outro; como aquele que tropeça ou cujos pés ficam presos e se sente irritado; deixar alguém irritado com algo; tornar indignado; estar aborrecido".

Esta é a raiz da palavra "escândalo" e deve-se acrescentar a essa lista mais este significado: "escandalizar".

Devemos compreender que Cristo não anunciaria juízo distinto sobre um ato que não pode ser considerado errado. Jesus, ao mencionar o risco de se escandalizar os pequeninos, destacava a gravidade do ato. E os pais não podem ignorar o impacto que um escândalo pode ter na vida dos filhos. Acreditamos que essa é a razão pela qual o Espírito Santo inspirou Paulo a admoestar os progenitores: "E vocês, pais, não provoquem os seus filhos à ira, mas tratem de criá-los na disciplina e na admoestação do Senhor" (Efésios 6.4). Outras versões optaram pela expressão "não irritem seus filhos". Isso não deve ser visto como se as crianças nunca devessem ser confrontadas e corrigidas ao errarem nem mesmo como se não pudessem ser contrariadas com regras que não apreciem. Entretanto, é inegável que os pais podem provocar emoções negativas em seus filhos; caso contrário não haveria motivo para tal advertência. Obviamente não estamos afirmando que os pais sejam responsáveis por *todas* as emoções negativas nos filhos. Mas também não podemos negar que, muitas vezes, a falta de uma conduta correta dos pais afetará negativamente os filhos.

O mesmo preceito dado aos crentes de Éfeso também foi dado aos cristãos de Colossos: "Pais, não irritem os seus filhos, para que eles não fiquem desanimados" (Colossenses 3.21). Tal orientação visa prevenir o abuso de autoridade de pais que se valem de sua posição sem a atitude de amor, serviço e humildade necessária. Mas também adverte que precisamos de responsabilidade e cuidado no trato para com os pequeninos. Ou seja, a exortação feita por nosso Senhor precisa ser levada a sério pelos pais.

Destacamos que, quando falamos sobre ensinar pelo exemplo, sua eficácia independe da qualidade do exemplo transmitido. Qualquer tipo de conduta, aprovável ou reprovável, exercerá algum tipo de influência sobre os filhos. Tal constatação deve gerar temor em nossos corações. Criar filhos é coisa séria!

Nosso intento não é colocar um peso de condenação sobre aqueles que, no exercício da paternidade, falharam em dar o exemplo. Além de advertir e ajudar os que ainda não erraram a evitar esse tropeço desnecessário, esperamos que aqueles que falharam entendam que ainda podem buscar conserto com Deus e a família.

DANDO EXEMPLO MESMO QUANDO SE ERRA

É claro que não somos perfeitos e nossos filhos, indubitavelmente, nos verão errar. O que fazer em momentos assim? Cremos que até mesmo a forma em que consertamos os erros deve ser exemplar. Pedir perdão aos filhos deveria ser evento recorrente na vida dos pais. Talvez os pedidos de perdão, seguidos da retratação por nossos erros, tenha sido, depois de dizer que amávamos nossos filhos, algumas das frases que eles mais nos ouviram repetir. É claro que não estamos falando de errar as mesmas coisas, o tempo todo, vivendo só de pedidos de perdão. Isso desmoraliza qualquer ensino. Obviamente que, por nosso compromisso com Deus — regado pela manifestação de sua graça —, erramos muito menos do que acertamos. Mas naquelas vezes que falhamos tivemos que ser exemplo na forma de retratar o ocorrido.

Constatamos, ao longo de décadas de aconselhamento pastoral que, infelizmente, muitos casais discutem na frente dos filhos. Isso deveria ser evitado ao máximo. Se há discordâncias — e elas sempre existirão —, estas devem ser tratadas de forma reservada, não em público. E da maneira certa, em amor. Há casais que brigam diante dos filhos e, depois, se resolvem sozinhos, no quarto, distante da vista das crianças. Isso é muito danoso. Sempre soubemos disso, mesmo antes de ter filhos, porque no exercício do pastorado lidamos com a crise de muitos filhos em relação ao que eles deduziam ser hipocrisia da parte de seus pais. Eles assistiam a contenda, mas não viam a reparação. Como não tinham ciência de que isso acontecia, deduziam que seus pais fingiam nada ter acontecido. E estamos falando de famílias autenticamente cristãs!

Essas ocorrências nos ajudaram a compreender a importância de evitar os conflitos diante deles. Contudo, mesmo cientes disso e lutando para viver essa realidade, temos que admitir que erramos, algumas vezes, "esquecendo-nos" disso no calor de emoções que não foram devidamente controladas. A solução nunca esteve em fingir que nada havia acontecido ou apenas consertar as coisas a sós. Recordamos diversas ocorrências em que precisamos nos sentar com nossos filhos e, além de admitir que erramos, pedir perdão. Aliás, vale dizer que esse tipo de atitude, além de permitir o conserto, nos ajuda a entender melhor o que se passa no coração dos filhos e auxiliá-los a ajustar valores e princípios.

LUCIANO

Recordo-me de um dia em que, depois de ter discutido com a Kelly de forma grosseira, na frente dos nossos filhos, tive que buscar a reparação do erro que, além de ferir a minha esposa, havia cometido com o Israel e a Lissa.

Reconheci que havia falhado e, depois de expor onde e por que havia errado, pedi perdão a cada um deles. Estávamos todos juntos, mas, depois do reconhecimento do erro, me dirigi a um filho de cada vez para pedir perdão de forma pessoal. O Israel, três anos mais velho, foi logo dizendo: "Claro que eu te perdoo, pai". E me deu um abraço e agradeceu a minha atitude. A Lissa, ainda bem novinha, me surpreendeu com o seguinte comunicado: "Pai, eu perdoo vocês. Mas quero que saiba que vocês me deixaram com medo quando discutiram". Aquilo me surpreendeu. Não houve gritaria naquela nossa "briga amena" e, posso dizer pela Kelly também, jamais cogitamos a ideia de uma agressão. Perguntei à minha caçula porque ela havia sentido medo e, para minha surpresa, ela respondeu: "Porque eu fiquei pensando que vocês não se amavam mais". Engoli a seco, pensativo, refletindo pela primeira vez no impacto que a conduta paterna pode ter nas emoções dos filhos. E foi ali, naquele momento, que percebi que, quando nos permitirmos ser vulneráveis diante dos filhos, também permitimos que eles se abram.

Sem desconstruir meu momento de retratação, dirigi-me à Lissa, na frente do Israel, e perguntei-lhe: "Filha, você ama o seu irmão?". "Claro que amo, papai", ela respondeu de pronto. Prossegui perguntando se ela o amava pouco ou muito. A Lissa garantiu que o amava "muitão". Então questionei minha garotinha de novo: "Mas vocês também não brigam e discutem ocasionalmente?".

Ela ficou com uma carinha pensativa por um instante e, na sequência, abriu um sorriso num rosto que agora tinha ares de "iluminado" e disparou: "Pai, você é muuuuito bom!". Todos caímos na risada com aquela reação inusitada. Ela prosseguiu: "Você está dizendo que uma discussão não significa que a gente não ame a pessoa, não é mesmo?". Frisei aos meus filhos, naquele instante, que eu tinha errado ao discutir com a mãe deles e que não queria me justificar pelo erro. Contudo, achei oportuno ensinar que um ambiente de amor não é determinado pela ausência de problemas mas, pelo contrário, por uma grande disposição de resolver os problemas. Aproveitei para prometer aos meus filhos naquele dia que jamais deixaria de amar a Kelly e que nunca me separaria dela ou deles. Aquilo teve um grande impacto nas emoções deles.

As crianças convivem, mesmo na igreja e em escolas cristãs (como, por exemplo, onde nossos filhos estudaram) com a realidade do divórcio dos pais dos colegas. Não podemos ignorar que há certas atitudes dos pais que podem gerar grande insegurança neles que, especialmente quando mais novos, necessitam de segurança emocional.

Portanto, acreditamos que a retratação do erro diante dos filhos não se limita meramente a um pedido de perdão. Uma "avaliação de danos" também deveria ser feita. E, juntamente com ela, a reafirmação de valores que, apesar de momentaneamente terem sido comprometidos, serão novamente fortalecidos pela conduta que sempre será retomada — mesmo depois de alguma falha ter ofuscado o exemplo.

ÊNFASE BÍBLICA

Ainda que o argumento bíblico da importância do exemplo já tenha sido estabelecido, destacamos que o assunto, nas Escrituras, devido à sua recorrência, ganha qualificação de *ênfase*, não mero *status* de *informação*.

Paulo escreveu aos santos de Tessalônica: "E vocês sabem muito bem qual foi o nosso modo de agir entre vocês, para o próprio bem de vocês. E vocês se tornaram nossos imitadores e do Senhor" (1 Tessalonicenses 1.5,6). Observe que o destaque dado ao modo de agir entre os tessalonicenses tem um foco específico: "para o bem de vocês". Por que o comportamento dos pais espirituais é benéfico para os filhos? Porque viabiliza a *reprodução do exemplo*: "vocês se tornaram nossos imitadores e do Senhor".

O apóstolo, em sua segunda epístola aos tessalonicenses, prossegue sustentando a importância do exemplo dado e a expectativa de que ele se tornasse o padrão a ser imitado:

> Porque *vocês mesmos sabem como devem nos imitar*, visto que nunca vivemos de forma desordenada quando estivemos entre vocês, nem jamais

comemos pão à custa dos outros. Pelo contrário, trabalhamos com esforço e fadiga, de noite e de dia, a fim de não sermos pesados a nenhum de vocês. Não que não *tivéssemos o direito* de receber algo, *mas* porque *tínhamos em vista apresentar a nós mesmos como exemplo, para que vocês nos imitassem.* (2Tessalonicenses 3.7-9)

Podemos destacar, ainda, outras declarações de Paulo sobre o exemplo. Aos irmãos da Galácia, ele disse: "Sejam como eu sou" (Gálatas 4.12). Essa era a didática mais contundente do apóstolo. Aos santos de Filipos, ele asseverou: "Irmãos, sejam meus imitadores e observem os que vivem segundo o exemplo que temos dado a vocês" (Filipenses 3.17). Desse modo, o apóstolo aos gentios não apenas chamava para si a responsabilidade da conduta exemplar, como também esperava que outros se levantassem como referência, reproduzindo a pedagogia do seu exemplo de modo que pudesse alcançar mais pessoas.

Entendemos que foi por isso que, movido por esses mesmos valores, Paulo instruiu outros líderes a agirem de maneira semelhante. Sua orientação a Timóteo foi clara: "Seja um exemplo para os fiéis, na palavra, na conduta, no amor, na fé, na pureza" (1Timóteo 4.12). Com Tito, um de seus cooperadores, não foi diferente: "Seja você mesmo um exemplo de boas obras" (Tito 2.7).

Somos encorajados, pela Palavra de Deus, a imitar a fé dos que nos lideraram: "Lembrem-se dos seus líderes, os quais pregaram a palavra de Deus a vocês; e, considerando atentamente o fim da vida deles, *imitem a fé que tiveram*" (Hebreus 13.7).

Os filhos deveriam ter nos pais verdadeiros guias. Isso é evidente no mandamento divino aos pais, acerca de seus filhos: "tratem de criá-los na disciplina e na admoestação do Senhor" (Efésios 6.4). Não devemos educar nossos filhos apenas para a vida terrena, mas também, e principalmente, para a vida eterna. Melhor do que um ensino teórico, vazio de prática, é deixar um testemunho de uma fé que possa ser imitada.

O exemplo, portanto, é de relevada importância para todas as áreas da vida dos filhos: integridade, trabalho árduo, conduta honesta, comportamento relacional, valores morais e espirituais.

* * *

PERGUNTAS PARA REFLEXÃO

1. Sabemos que o ensino por preceito necessita ser respaldado por meio do exemplo. Você diria que a educação que tem dado aos seus filhos é sustentada por um bom exemplo?

2. Há alguma área específica que você reconhece que deveria corrigir para evitar a hipocrisia e para poder ministrar melhor aos seus filhos?

3. Averiguamos que, mesmo sendo imperfeitos, ainda podemos servir de exemplo, até mesmo quando erramos… Como você age quando erra com (ou diante de) seus filhos?

9
A DISCIPLINA

A disciplina dos filhos é um princípio bíblico e deve ser praticada com base em dois fundamentos:

1. Deus, nosso maior modelo e referência, corrige os seus filhos;

2. As Escrituras nos instruem, como pais, a fazer o mesmo com nossos filhos.

Observe a afirmação que o Espírito Santo faz, usando o autor da carta aos hebreus, acerca desse assunto:

> "E vocês se esqueceram da exortação que lhes é dirigida, como a filhos: Filho meu, não despreze a correção que vem do Senhor, nem desanime quando você é repreendido por ele; porque *o Senhor corrige a quem ama e castiga todo filho a quem aceita.*" (Hebreus 12.5,6).

O texto não apenas revela que o Pai celestial pratica a correção, como também aponta o motivo pelo qual Deus faz isso. O "porquê" claramente destacado nas Escrituras é o amor do Senhor. Às vezes, alguns pregadores se esforçam em tentar negar que Deus exerce a disciplina. E a alegação equivocada desses oradores baseia-se no argumento de que Deus é amor; portanto, não poderia disciplinar seus filhos. Grande engano! O argumento bíblico é o oposto; justamente porque nos ama é que ele nos corrige.

O próprio Cristo, na carta à igreja de Laodiceia, no livro de Apocalipse, ao exortar e repreender aqueles irmãos, deixa clara a razão pela qual o fazia: "Eu repreendo e disciplino aqueles que amo" (Apocalipse 3.19). Era exatamente o seu amor que o levava a corrigir os laodicenses, e não a falta dele.

A mesma lógica é apresentada na Bíblia quando trata dos motivos que levam os pais a corrigirem ou não os seus filhos: "O que *retém a vara odeia o seu filho; quem o ama*, este *o disciplina* desde cedo." (Provérbios 13.24).

O argumento é recorrente em todo o texto bíblico: a disciplina é um ato de amor. Não importa se foca no Pai celestial ou nos pais terrenos. A falta de amor, por outro lado, é claramente expressa na omissão da correção. "Porque o Senhor *repreende a quem ama*, assim como um pai *repreende o filho a quem quer bem*." (Provérbios 3.12).

Nós criamos nossos filhos sem negligenciar a correção. E fizemos isso por amor a eles! Nenhum pai ou mãe, que realmente se importa com seus filhos, se sente bem ao corrigi-los. Não fazemos isso por causa de nós. Aliás, nós sabíamos que se evitássemos a disciplina haveria dano para os nossos filhos. Portanto, decidimos não ser egoístas e escolhemos praticar a disciplina. Até porque, para um cristão, isso não é uma opção; é uma ordenança divina.

Às vezes nos perguntam que trabalho fizemos para ter filhos tão abençoados, se nós oramos muito por eles. As pessoas espiritualizam demais as coisas; embora não tenha faltado oração por nossos filhos, acreditamos que a soma da educação com a correção é que produziu neles os resultados de hoje.

FERIDAS DE AMOR

Para uma melhor compreensão da correção, antes mesmo de aplicá-la aos filhos, é necessária uma compreensão maior, abrangente, do ensino bíblico sobre o assunto. E é a Palavra de Deus quem deve construir essa perspectiva. Observe este salmo de Davi: "*Fira-me o justo*, e isso *será um favor; repreenda-me*, e será como óleo sobre a minha cabeça, a qual não há de rejeitá-lo. Continuarei a orar enquanto os perversos praticam maldade" (Salmos 141.5).

Deus não quer seu povo doente, tampouco sofrendo; há, porém, uma espécie de ferida que produz cura, e esta deve ser praticada pelos cristãos.

Ao dizer "fira-me o justo", Davi não falava a respeito de uma ferida física, e sim de uma emocional. Ele se referia ao desconforto (e até mesmo dor) que é produzido pela correção. Isso é fácil de perceber quando a expressão "repreenda-me" é usada na sequência. Apesar de se referir a algo aparentemente ruim, ele menciona as bênçãos provenientes desse ato: "será isso sinal de bondade". A palavra traduzida por favor, no original hebraico, é *checed* (חסד) e seu significado primário é "bondade, benignidade, fidelidade". Ou seja, o salmista diz que a repreensão é um ato de bondade, não de maldade. Davi também emprega o uso da expressão "será como óleo sobre a minha cabeça". O óleo, quer fosse visto como remédio quer como perfume, retratava algo positivo.

Todos precisamos ser ministrados por outras pessoas, e isso envolve não apenas ouvir palavras amáveis de encorajamento, mas também, quando necessário, palavras firmes de repreensão e correção. Moisés foi um homem que ouviu a Deus tão claramente que tinha revelações poderosas sobre grandes e pequenos detalhes concernentes à condução do povo de Israel. Entretanto, precisou ser corrigido por seu sogro, e aprendeu dele a importância de delegar funções e trabalhar com grupos de liderança (Êxodo 18.13-24). Se Deus falava sobre tanta coisa diretamente com Moisés, por que não falou acerca disso? Na verdade, falou; só não o fez diretamente. Deus usou Jetro para que Moisés soubesse que, por maior que fosse sua intimidade com ele, por maior que fosse sua sensibilidade para ouvir a voz divina, ainda assim ele necessitava de pessoas que pudessem corrigi-lo e instruí-lo, pois ninguém é perfeito ou completo.

A Bíblia fala mais sobre esse tipo de "ferida" que o justo deve praticar em relação àqueles que ama: "Melhor é a *repreensão franca* do que o amor encoberto. Leais são as *feridas feitas pelo que ama*, porém os beijos de quem odeia são enganosos." (Provérbios 27.5,6).

Muitas pessoas agem com falsidade, preferindo a dissimulação e o fingimento à franqueza e à sinceridade da repreensão. Mas as Escrituras Sagradas declaram que a repreensão aberta (fruto de amor sincero de uma pessoa franca) é melhor que o amor encoberto (que não se manifesta por nunca ter coragem de falar a verdade). Martinho Lutero, o grande reformador, declarou: "Preferiria que mestres verdadeiros e fiéis me repreendessem e me condenassem, e até mesmo reprovassem meus caminhos, a que hipócritas me bajulassem e me aplaudissem como santo".

Precisamos aprender a falar a verdade em amor. Adular não leva a lugar algum e impede o crescimento espiritual de todos. A cultura da correção não é apenas algo que os pais praticam para com seus filhos; deveria ser uma atitude de amor em todo e qualquer nível de relacionamento. "Quem repreende alguém achará depois mais favor do que aquele que só lisonjeia" (Provérbios 28.23).

Pessoas que amam devem corrigir e repreender os seus amados. As feridas de amor, provocadas pela repreensão, são mais valiosas que os beijos da falsidade, do fingimento de quem não quer contrariar ninguém. Os apóstolos Paulo e Pedro viveram juntos uma experiência forte nesse sentido. Paulo repreendeu Pedro diante de todos por estar agindo de modo errado quanto ao jeito de se relacionar com os crentes gentios (Gálatas 2.11-14).

Parece-nos, contudo, que a importância da correção — num sentido geral — está desaparecendo das nossas crenças. O resultado? Se relativizamos isso no sentido geral, também o faremos na hora de corrigir os filhos. Por isso, cremos que é tão importante resgatar o entendimento bíblico tanto do valor da correção como da expressão do amor por trás da disciplina.

Antes, porém, de detalhar os preceitos bíblicos sobre essa responsabilidade dos pais quanto aos filhos, queremos compartilhar um episódio marcante em nossa família;

> **LUCIANO**
>
> Em março de 2005, quando faltavam cerca de dois meses para o Israel completar 7 anos, tive com ele uma experiência única, memorável. E foi na questão da disciplina. Estávamos com algumas famílias da igreja num fim de semana de descanso no litoral paranaense. Eu havia combinado com a Kelly que, na primeira manhã que estivéssemos lá, eu precisaria trabalhar até a hora do almoço, prazo final para envio de um dos meus livros à gráfica. Passava das 11 horas da manhã quando a porta do quarto se abriu e meu filho entrou declarando:
>
> — Pai, eu sei que estou errado e que mereço apanhar.
>
> Ao que imediatamente respondi:
>
> — Réu confesso! Isso é bom.

Nesse momento, antes de meu filho definir o que havia feito de errado, entrou correndo uma garota, filha de outra família que estava lá conosco, e o denunciou:

— Tio, o Israel bateu em mim!

Eu, sentindo a indignação ferver dentro de mim, questionei o Israel:

— Você realmente fez isso?

E ele, cabisbaixo, resmungou:

— Fiz, meu pai.

Ainda tentando manter a cabeça no lugar, perguntei à menina o que havia acontecido. E ela respondeu:

— Eu peguei uma garrafa plástica, de refrigerante, e bati na cabeça dele. Aí ele tomou ela da minha mão e bateu de volta na minha cabeça.

Interrompi a denúncia dela dizendo:

— Até aí me parece tudo igual. Você começou a brincadeira e ele só fez com você o que você havia feito com ele.

Ela, com ares de ansiedade para poder terminar o relato, retrucou:

— Eu sei, se tivesse parado aí estaria tudo certo. Mas só porque eu disse para o seu filho que não doeu, ele pegou um chinelo e bateu com força nas minhas costas! Mas eu não tinha dado nenhuma chinelada nele, e o propósito da brincadeira era justamente não doer...

Olhei para meu filho e questionei se era isso que tinha acontecido e ele assentiu com a cabeça. Então pedi para que a menina se retirasse e eu pudesse falar com o Israel a sós. Àquela altura eu estava sentindo raiva, como poucas vezes senti na hora de corrigir um filho. Esbravejei com o garoto:

— Eu não ensinei, repetidas vezes, que você *nunca* deveria agredir uma garota?

Ainda cabisbaixo, e visivelmente envergonhado, ele sinalizou estar ciente do que eu havia ensinado. Mas, apesar do notório arrependimento, estampado na face e na linguagem corporal do garoto, eu sentia raiva naquele momento.

Minha vontade era pegar meu chinelo e dar nas costas dele para que ele entendesse "como era bom" o que ele havia feito. Nunca fiz isso e não cheguei a fazer naquele dia, mas o sentimento estava tão aceso dentro de mim que foi difícil me controlar. Só pude ver aquele quadro mudar porque o Espírito Santo sussurrou em meu coração:

— Você está prestes a perder a oportunidade da sua vida de ministrar ao coração de seu filho.

Eu só conseguia me questionar: "O quê? Deus está falando comigo nessa hora?". Afinal de contas, eu não estava orando nem buscando ao Senhor e ainda estava enfurecido. Mas entendi que a chance de errar não era apenas corrigir meu filho estando muito bravo; o ponto era que eu não estava focando em ensinar ao coração dele. Portanto, pausei meus sentimentos, tomei fôlego, pensei e orei pedindo ajuda. E então decidi que iria conversar com ele.

— Você sabe por que vou discipliná-lo agora?

E o Israel replicou depressa:

— Porque você me ama e me ensina.

E eu retruquei:

— Você decorou essa fala, mas acho que nunca a entendeu.

Para minha surpresa, nesse momento o Espírito Santo falou novamente comigo:

— Nem você entendeu isso até hoje.

Entendi, naquele momento, que, se eu não tivesse uma compreensão mais clara e profunda do que é a correção, jamais conseguiria transmitir a percepção correta ao coração do meu filho. Decidi imediatamente rever com o Israel o ensino bíblico a respeito da disciplina e ambos fomos ministrados pelo Pai celestial naquele dia. Comecei perguntando:

— Filho, você sabia que foi Deus quem ordenou que os pais disciplinassem seus filhos?

Ele balançou a cabeça indicando que não e me olhando com ares de curiosidade e indagação. Parecia que, pela primeira vez, ele refletia sobre o assunto de forma diferente. Então comecei a apresentar-lhe texto após texto das Escrituras e fizemos uma jornada do Antigo ao Novo Testamento. Foquei no propósito da correção, que era nos fazer compreender e evitar a desobediência com suas consequências — sempre piores que qualquer disciplina aplicada.

Aproveitei também para abrir o meu coração e esclarecer que os pais não têm prazer em castigar seus filhos. E confessei a ele:

— Muitas vezes, depois de corrigir você, enquanto você chorava num canto, eu chorava em outro.

Ele, espantado, disse:

— Sério, pai?

Eu assenti afirmativamente com a cabeça e reconheci que era um fato. E prossegui dizendo que preferia trocar de lugar com ele e apanhar do que aplicar a correção. Enfatizei também que o propósito da correção era ensinar as consequências da desobediência, mas também prevenir e evitar novos atos de rebeldia. Que era duro para mim, mas que o meu amor por ele e preocupação com seu futuro eram ainda maiores do que a dor que ambos sentíamos e, por isso, eu seguiria corrigindo-o enquanto fosse necessário.

Os olhos do Israel brilhavam de um jeito incomum. Eu percebia que o Espírito Santo estava ministrando na vida dele. E confesso que simultaneamente entendia essas verdades de um modo que, apenas como filho, nunca havia entendido.

Depois da instrução bíblica, expliquei ao meu filho que, antes de mais nada, ele deveria entender que, tanto ao me desobedecer como ao agredir a garota, ele havia pecado contra Deus. Então disse que começaríamos o processo fazendo primeiramente um acerto com o Senhor. Disse que ele deveria orar expressando arrependimento e pedindo o perdão divino. Diante disso, o Israel confidenciou:

— Estou com vergonha de Deus, meu pai.

Garanti a ele que o sentimento era bom e indicava que ele havia entendido o erro cometido. Aproveitei para ensinar sobre a natureza amorosa e misericordiosa do Pai celestial. Então dobramos os joelhos juntos e oramos. Ele orou primeiro e eu orei por ele na sequência. Assim que levantamos, eu lhe disse:

— Agora vou disciplinar você, meu filho. Eu não trouxe a varinha que temos em casa e não quero usar a mesma mão que o abençoa e acaricia para aplicar a disciplina. Portanto, vou usar o meu chinelo nessa "parte almofadada" que o Criador fez no seu traseiro. Darei uma chinelada só, mas será bem dada. Não tente escapar, nem se defender. Entendeu?

Ele confirmou que havia entendido e se apoiou com as mãos na mesa que eu estava trabalhando e eu apliquei aquela única chinelada prometida. O garoto mordeu os lábios e segurou o choro. Veio na minha direção, deu-me um abraço apertado e disse:

— Pai, muito obrigado porque você me ama e me ensina.

Ao dizer isso, ele começou a chorar, e eu também não pude me conter e chorei junto. Ainda me emociono com a lembrança desse momento e choro de novo, quinze anos depois, ao escrever sobre isso. Foi algo muito marcante. A presença do Senhor se manifestou naquele quarto!

Nessa hora, o Israel segurou meu rosto com as duas mãos e declarou:

— Pai, preste atenção no que eu vou dizer agora. Você pode achar que eu sou muito criança para falar o que eu vou prometer agora. Mas eu entendi o que o senhor me ensinou hoje. Eu entendi no meu coração, não só na minha cabeça. Por isso, eu garanto que essa foi a última vez que o senhor precisou me disciplinar. Nunca mais será preciso me corrigir assim. Nunca mais!

Eu seguia chorando com ele e, apesar de meio cético com a declaração que poderia ser só emocional, eu respondi:

— Amém, meu filho. Que assim seja!

Nunca mais precisamos discipliná-lo de novo. É lógico que chamamos a atenção por pequenas coisas, aplicamos castigos leves como a suspensão do uso do videogame em momentos em que ele deveria se dedicar mais aos estudos, mas nunca mais precisamos corrigi-lo dessa forma. O Israel cresceu, casou-se e agora está vivendo a emoção de ter sua primeira filha. Eu oro para que ele consiga transmitir às próximas gerações o que aprendeu naquele dia.

Enfim, posso testificar que acredito de todo coração na correção paterna. Primeiramente porque é bíblico. Além disso, porque provei seus resultados positivos por ser um filho de pais que não pouparam a disciplina e também porque vi o abençoado resultado dela na vida dos meus filhos.

Pais que se importam corrigem seus filhos visando ao bem deles. Com isso em mente, voltemos a falar do *exemplo* do nosso Pai celestial.

A PERFEITA PATERNIDADE

Jesus repetidamente referiu-se a Deus como Pai em seus ensinos. O Criador é retratado como pai 44 vezes em Mateus; 5 vezes em Marcos; 17 vezes em Lucas e 116 vezes em João. Isso, mais do que informação, é ênfase!

Além de enfatizar a paternidade divina, as Sagradas Escrituras nos apresentam Deus como o Pai perfeito: "— Portanto, sejam perfeitos como é *perfeito o Pai de vocês*, que está no céu" (Mateus 5.48).

E a razão para tal destaque da perfeita paternidade divina é estabelecê-la como referência e modelo para a paternidade humana. Logo, conclui-se que devemos ter Deus como o modelo perfeito de pai.

Um dos aspectos da paternidade de Deus, ressaltada nas Escrituras, diz respeito à prática da disciplina. Ele não deixa seus filhos sem correção. Observe essa analogia apresentada em Hebreus; ela não requer nenhum exercício complexo de interpretação bíblica:

É para disciplina que vocês perseveram. *Deus os trata como filhos. E qual é o filho a quem o pai não corrige?* Mas, se estão sem essa correção, da qual todos se tornaram participantes, então vocês são bastardos e não filhos. Além disso, tínhamos os nossos pais humanos, que nos corrigiam, e nós os respeitávamos. Será que, então, não nos sujeitaremos muito mais ao Pai espiritual, para vivermos? Pois eles nos corrigiam por pouco tempo, segundo melhor lhes parecia; *Deus*, porém, *nos disciplina para o nosso próprio bem*, a fim de sermos participantes da sua santidade. Na verdade, toda disciplina, ao ser aplicada, *não parece ser motivo de alegria, mas de tristeza*. Contudo, *mais tarde*, produz fruto pacífico aos que têm sido por ela exercitados, fruto de justiça. (Hebreus 12.7-11).

Já realçamos que a disciplina é uma expressão de amor. Mas ela também merece outro adjetivo. No contexto da criação dos filhos podemos afirmar que a correção é um dos fatores que *autenticam* a paternidade: "E qual é o filho a quem o pai não corrige? Mas, se estão sem essa correção, da qual todos se tornaram participantes, então vocês são bastardos e não filhos." (Hebreus 12.7-8). Isso vale tanto para o mundo natural quanto para o espiritual. Contudo, não devemos achar que o Criador esteja imitando o modelo humano de família. Foi o Senhor mesmo quem estabeleceu esse padrão para os homens porque é assim que ele trata os seus filhos. Deus nos ordena imitá-lo (Efésios 5.1), não o contrário.

A Bíblia usa o paralelo da correção que recebemos de nossos pais terrenos — a quem nos submetíamos e respeitávamos — com a necessidade de sujeição e honra ao Pai celestial (Hebreus 12.9). O enfoque bíblico é o de que a disciplina é "para o nosso próprio bem".

Outra coisa que não pode ser ignorada, nesse texto da carta aos hebreus, é o foco do tempo e do sentimento. A instrução do texto sagrado é clara: a disciplina, no momento em que é aplicada, não parece boa. Sua utilidade será comprovada mais tarde. Nenhum de nós, quando corrigidos pelos pais, enquanto éramos crianças, conseguia apreciar a punição recebida. Contudo, hoje, anos depois, podemos olhar para trás e ver os frutos benditos dos castigos recebidos e ser gratos por isso. No entanto, na época em que fomos disciplinados não víamos a utilidade nem sentíamos prazer. Porque a utilidade só será percebida no futuro, com maturidade, e o prazer da disciplina só surgirá quando a utilidade for percebida. A hora da correção não é *prazerosa* nem para os filhos nem para os pais.

EVITE EXCESSOS

É lógico que não estamos advogando o abuso que infelizmente muitos cometem. Há um padrão bíblico que define o limite da correção para os pais:

"Corrija o seu filho, enquanto há esperança, mas não se exceda a ponto de matá-lo" (Provérbios 19.18).

A mesma Bíblia que instrui os pais a corrigirem também os orienta a não se excederem. O fato de o texto mencionar pais que possam se exceder a ponto de matar os filhos, um claro exagero da disciplina, não define que esta seja a única aplicação ou definição do que é exceder-se.

Primeiramente, podemos reconhecer que, se a disciplina é um ato de amor, então, jamais deve ser aplicada com raiva. Devemos sempre nos policiarmos para não corrigir nossos filhos com ira. Embora nem todo erro que os filhos cometam desperte a fúria dos pais, nos momentos em que isso acontece é necessário gerenciar as emoções e não deixar que elas interfiram. O momento da indignação deve passar (ou ser devidamente superado) antes de os pais prosseguirem com a correção.

A ideia não é produzir dano físico tampouco emocional. Contudo, tanto um como outro tem sido o saldo encontrado em filhos que não foram devidamente disciplinados. A repreensão é bíblica e correta, mas há também uma forma certa de aplicá-la. Para ser efetiva, ela não precisa nem deve ser rude. Veja o que Paulo falou sobre isso a seu discípulo Timóteo: "Não repreenda asperamente o homem idoso, mas exorte-o como se ele fosse seu pai" (1Timóteo 5.1, *NVI*). É claro que o texto não trata da correção dos pais para com os filhos. Contudo, indiscutivelmente apresenta um padrão para toda e qualquer correção: ela deve ser uma combinação de amor e respeito.

Outro fator a ser levado em conta é a idade dos filhos. A ideia de correção física está sempre ligada ao contexto das crianças, não dos filhos crescidos. À medida que eles crescem, alguns castigos e formatos de punição distintos devem ser aplicados no lugar da vara da disciplina. Para um filho crescido, já maduro, a correção física será vista como agressão, não mais como expressão de amor.

BENEFÍCIOS DA DISCIPLINA

Já argumentamos que a disciplina é um ato de amor, e essa conclusão segue a premissa básica de que produz benefícios aos filhos. Contudo, é importante entendermos quais são esses benefícios; essa compreensão nos ajudará como pais a entender o motivo da correção e também poderá ajudar nossos filhos a entenderem porque os submetemos a esse processo.

Tratar da inclinação ao erro

A disciplina não visa apenas tratar com o erro já cometido; ela se estende também à inclinação ao erro que está no coração da criança e tem o propósito de evitar a repetição dos mesmos erros. Ela é aplicada pelo que já aconteceu (passado), trata com o coração da criança (presente) e previne a repetição do erro (futuro). Observe o que a Palavra de Deus diz sobre isso: "A tolice está ligada ao coração da criança, mas a vara da disciplina a afastará dela." (Provérbios 22.15).

A tolice — ou "insensatez" como muitas versões utilizam — está ligada ao coração da criança. Não se trata apenas de falta de maturidade ou entendimento. Os frutos da natureza pecaminosa se manifestam desde cedo (Salmos 58.3). A "vara e a disciplina dão sabedoria" (Provérbios 29.15), diz a Escritura. Isso significa que ela tem o poder de produzir uma "cirurgia interior" no íntimo dos nossos filhos, substituindo a tolice pela sabedoria.

Fortalecer os limites definidos

Outro benefício a ser levado em conta é que a correção fortalece os limites estabelecidos. Os filhos, quando pequenos, não podem ser autogovernáveis. O Criador estabeleceu os pais como autoridade e governo sobre os filhos; razão pela qual os filhos devem obedecer-lhes (Efésios 6.1). Quando os filhos crescem, a honra ainda deverá ser dada aos pais. Depois da maturidade, e com os resultados da disciplina aplicada desde tenra idade, os filhos trilharão o caminho que lhes foi ensinado. Isso também é uma afirmação bíblica: "*Ensine a criança* no caminho em que deve andar, e ainda *quando for velho* não se desviará dele" (Provérbios 22.6).

A ideia do caminho, uma alegoria também usada nas Escrituras acerca da nossa fé e vida cristã, é que você anda num trilho pré-estabelecido. Não se deve desviar dele nem para a direita nem para a esquerda (Isaías 30.21). Os filhos precisam de limites. A expressão "a criança entregue a si mesma" é usada na Palavra de Deus como sinônimo da ausência de disciplina:

"A *vara e a disciplina dão sabedoria*, mas a criança *entregue a si mesma* envergonha a sua mãe. Quando os ímpios se multiplicam, multiplicam-se as transgressões, mas os justos verão a ruína deles. *Corrija o seu filho*, e você terá descanso; ele será um *prazer* para a sua alma".

O resultado da falta de limites, além dos óbvios prejuízos dos filhos, é que os pais serão envergonhados. O conceito da multiplicação dos ímpios também está ligado à falta de correção. Por outro lado, a aplicação da instrução e da correção garante aos pais, no presente e também no futuro, tanto *descanso* como *prazer*.

Como corrigir quando os limites não estão sendo respeitados? Obviamente os pais não podem requerer um comportamento que não foi ensinado aos filhos. Mas, mesmo quando há instrução, também é preciso levar em conta que os filhos reagem diferentemente às mesmas regras. Sejamos justos. Bonificação ao obediente e correção ao desobediente. Alguns que são pais de mais de um filho às vezes aplicam bonificações e correções em pacote. Entretanto, cada criança tem seu próprio ritmo e personalidade; por isso, precisa de um olhar individualizado. Elas anseiam por esse olhar. Muitas vezes elas, mesmo sem o vocabulário necessário (porque falar de emoções não é fácil nem para os adultos), tentarão comunicar sua necessidade — de serem vistas e compreendidas. Nessa tentativa, algumas crianças adotam comportamentos agressivos e desrespeitam os limites em busca de atenção. Portanto, como pais devemos ser atentos e sensíveis para, além de corrigir, perceber e suprir o que talvez falte aos filhos.

Também não se pode ignorar que erros podem acontecer por motivos distintos: não saber como fazer algo ou por escolha de se portar diferente da orientação dada. A correção se aplica somente na segunda situação.

Hoje, com nossos filhos já crescidos, temos tanto o descanso de não nos preocuparmos com as escolhas e conduta deles — mesmo morando longe de nós e fora do alcance de nossa vista —, como também temos o prazer de ver suas escolhas e realizações corretas.

* * *

PERGUNTAS PARA REFLEXÃO

1. A Bíblia apresenta a correção como um ato de amor aos filhos e a falta dela como ódio. Você concorda que a única forma de entendermos isso é considerando o futuro de nossos filhos, em vez de somente o presente? Por quê?

2. O que você entende por "feridas de amor"? Como aquilo que fere também pode curar?

3. Quais são os abusos a serem evitados no exercício da correção?

4. Quais são os benefícios da disciplina aplicada aos filhos?

10
DANOS DA FALTA DE CORREÇÃO

Como famílias cristãs, temos os princípios bíblicos como fundamento que nos permitem um trilho firme e consistente. Tomemos como exemplo, na prática, o princípio da verdade. Falar a verdade é indiscutivelmente um valor precioso. Se um filho é pequeno e os pais o veem distorcendo uma história, é preciso considerar o ato e imediatamente trazer luz e correção. Muitas vezes, na correria, os pais relevam alguns erros porque estão indispostos a lidarem com pequenas situações ou minimizam seu impacto. Criação de filhos é uma missão de longo prazo; não se trata de um ou outro ensino ou correção, mas sim de uma série de ensinos e correções pacientemente aplicados. A visão de longo prazo consiste em um posicionamento contínuo dos pais, sem omissão. Desse modo, se queremos que nossos filhos cresçam e falem a verdade, então toda mentira precisará ser imediata e recorrentemente corrigida, com a mesma atenção e seriedade.

Se, por um lado, a aplicação da correção traz benefícios aos filhos, por outro, sua omissão certamente traz malefícios. A Palavra de Deus também relata esse tipo de experiência, de pais que negligenciaram seu papel e não aplicaram a disciplina àqueles que geraram e deveriam ter criado de forma correta. O motivo desses relatos não é apenas nos informar a respeito de algo que se deu em um tempo distante na história. O propósito é nos advertir a não cometer os mesmos erros. Paulo falou disso aos coríntios: "Estas coisas aconteceram com eles para servir de exemplo e foram escritas como advertência a nós, para quem o fim dos tempos tem chegado" (1Coríntios 10.11).

O SACERDOTE ELI

O primeiro exemplo negativo que queremos analisar é a omissão de Eli em relação aos seus filhos. A descrição de quem eram é trágica: "Os filhos de Eli eram homens malignos e não se importavam com o Senhor" (1Samuel 2.12).

Note que não se tratava de crianças pequenas, mas de filhos adultos, crescidos, que já haviam constituído família. E pior: eram sacerdotes! As Escrituras revelam que eles roubavam a oferta do povo, tanto a reprovação da conduta deles como a gravidade do que faziam é bem claro: "Era, pois, muito grave o pecado desses moços diante do Senhor, porque eles despre-zavam a oferta do Senhor" (1Samuel 2.17).

Se isso não fosse o bastante, ainda se prostituíam à entrada do Taber-náculo: "Eli já era muito velho e ouvia tudo o que os seus filhos faziam a todo o Israel e de como se deitavam com as mulheres que serviam à porta da tenda do encontro" (1Samuel 2.22).

O Altíssimo confrontou, através de um profeta, e denunciou o sacer-dote por honrar mais aos seus próprios filhos do que a Deus (1Samuel 2.29). Depois disso, no conhecido episódio em que chama audivelmente o nome do garoto Samuel, Deus trouxe uma nova palavra de confronto e juízo. Observe:

> E o Senhor disse a Samuel:
>
> — Eis que vou fazer uma coisa tal em Israel, que todos os que a ouvirem ficarão com os dois ouvidos tinindo.
>
> Naquele dia farei contra Eli tudo o que eu disse a respeito da casa dele, do começo ao fim. Porque eu já disse a ele que julgarei a sua casa para sem-pre, pela iniquidade que ele bem conhecia, porque os seus filhos trouxeram maldição sobre si, e *ele não os repreendeu*" (1Samuel 3.11-13).

É interessante a específica afirmação bíblica de que Eli não repreendeu seus filhos. Logo, o problema foi a *falta de correção*. Não podemos afirmar que não houve ensino de que essas práticas eram erradas. Aliás, a lógica sugere que isso muito provavelmente tenha sido transmitido aos filhos do homem de Deus. Consideremos dois argumentos:

1) Os filhos de Eli eram ministros do santuário: "Hofni e Fineias, os dois filhos de Eli, eram sacerdotes do SENHOR" (1Samuel 1.3). Como sacerdotes, eram obrigados tanto a conhecer como a ensinar a Lei de Deus que condenava suas próprias práticas. Eles não tinham uma escola de formação teológica; os pais eram responsáveis por discipular e ensinar os filhos. Portanto, não se pode afirmar que eles não foram instruídos.

2) Não há nenhum registro de que Eli tenha cometido as mesmas práticas de Hofni e Fineias. Pelo contrário, ele só é condenado por não tê-los repreendido. Como veremos à frente, há um único registro de que ele se mostra contrário às práticas dos filhos. Portanto, não se pode afirmar que eles não tiveram um bom exemplo.

Logo, concluímos que o problema foi falta de correção, não de instrução. Por isso, afirmamos que educação sem correção é um trabalho incompleto. A disciplina, o confronto, a correção dos erros dos filhos são parte do processo de formação deles.

Agora consideremos uma *aparente* contradição do texto bíblico. Deus acusa Eli de não corrigir seus filhos (1Samuel 3.13) e o faz depois de declarar que o sacerdote honrava mais seus filhos do que a ele (1Samuel 2.29). Mas não podemos ignorar esse relato registrado um pouco antes dessas declarações:

> Eli já era muito velho e *ouvia tudo o que os seus filhos faziam* a todo o Israel e de como se deitavam com as mulheres que serviam à porta da tenda do encontro. *E disse-lhes*:
>
> — Por que vocês fazem essas coisas? Pois de todo este povo ouço constantemente falar das coisas más que vocês fazem. Não, meus filhos, porque não é boa fama esta que ouço. Vocês estão levando o povo do SENHOR a transgredir. Se um homem pecar contra o seu próximo, Deus será o árbitro. Mas, se ele pecar contra o SENHOR, quem intercederá por ele?
>
> *Mas eles não ouviram a voz de seu pai, porque o SENHOR os queria matar"* (1Samuel 2.25)

Por que o Senhor afirma que Eli não repreendeu seus filhos depois desse relato?

Está certo que pode até não nos soar a melhor das repreensões ou confrontos, mas, verdade seja dita, essa conversa não foi agradável e certamente não expressava apoio ao que os filhos de Eli faziam.

Afirmamos antes que se trata de uma *aparente* contradição. Até porque a Bíblia não se contradiz; pelo contrário, ela se completa, se explica e é sempre harmônica. O que podemos entender, então?

Que a tentativa de correção da parte de Eli aconteceu tarde demais!

Quando Deus diz que Eli não repreendeu seus filhos, obviamente não está falando desse episódio. Senão seria mesmo contraditório. O sacerdote não os repreendeu ao longo da vida toda deles e resolveu chamar a atenção dos filhos somente quando o juízo divino já estava determinado e a oportunidade de conserto de Hofni e Fineias já havia terminado. O texto bíblico é pontual acerca dessa questão: "Mas eles não ouviram a voz de seu pai, porque o SENHOR os queria matar" (1Samuel 2.25).

A fase de corrigir os filhos é quando eles ainda são pequenos e seus valores e caráter estão sendo formados. Uma prole que cresce e atinge a fase adulta sem correção ou limites dificilmente se ajustará com uma tentativa de correção tardia. Isso precisa trazer temor ao coração dos pais! Como já demonstramos anteriormente, a própria Escritura Sagrada distingue o tempo de se "plantar as sementes da educação e correção" nos filhos (a infância) e o tempo de "colher o resultado desse plantio" (a velhice): "Ensine a criança no caminho em que deve andar, e ainda quando for velho não se desviará dele" (Provérbios 22.6). A lição é clara!

O REI DAVI

Outro exemplo bíblico de omissão paterna na correção é o do rei Davi. Começaremos tratando de sua negligência com relação a Adonias, o quarto filho na linhagem de sucessão (2Samuel 3.2-5). Nascido em Hebrom, quando somente a tribo de Judá ainda havia reconhecido seu pai como rei, figurando assim entre os primeiros filhos, e com dois dos seus irmãos mais velhos já mortos — Amnom e Absalão —, Adonias tentou tomar o trono de seu pai, estando ele ainda vivo quando já havia sido definido quem seria seu sucessor: Salomão.

Qual a razão para esse levante? Por que a arrogância dessa exaltação e conspiração rebelde? A Palavra de Deus apresenta uma resposta simples para isso:

> "Então Adonias, filho de Hagite, se exaltou e disse:
>
> — Eu serei o rei.
>
> Providenciou carros de guerra, cavaleiros e cinquenta homens que corressem na sua frente. *Seu pai jamais o tinha contrariado*, dizendo: "Por que você fez isso ou aquilo?" Adonias tinha boa aparência e era mais jovem do que Absalão" (1Reis 1.5,6).

Atente para a frase: "seu pai jamais o tinha contrariado". Adonias cresceu desconhecendo limites e a compreensão de autoridade ou cadeia de comando dentro do lar. Infelizmente essa história se repete em nossos dias. Temos visto muitos pais que julgaram ter crescido em lares que eles classificavam como "repressores" e, desconsiderando a sabedoria milenar e autenticada pelos céus revelada na Bíblia, ignorando a constatação dos resultados da aplicação dos princípios bíblicos na história e experiência humana, acreditaram que poderiam ter filhos "livres" para se governarem sem um caráter forjado pela repreensão paterna. O resultado? O mesmo caos reproduzido na família de Davi se repetiu em seus lares.

Davi foi um grande rei. Um conquistador, líder extraordinário de uma força militar nunca antes vista pelos israelitas. Foi um adorador, poeta e compositor único. Sem mencionar que, mesmo não sendo da tribo de Levi, exerceu esporádicas funções sacerdotais e, o que não pode ser ignorado, é reconhecido nas Escrituras como um profeta. Ninguém pode negar que ele foi um homem de Deus, ungido e capacitado pelos céus. Contudo, indiscutivelmente, foi um péssimo pai.

Seus erros e negligência na correção dos filhos também podem ser vistos ao observarmos o incesto de Amnom (2Samuel 13.1-19) e a forma em que Absalão, irmão de Tamar, a quem Amnom violentou, o assassinou depois (2Samuel 13.20-39). Em ambos os casos Davi foi omisso. Não corrigiu como pai e não puniu como rei. Tanto um erro como outro foram expressões impróprias: o descaso de um pai que não se importou em prover ajustes necessários e a injustiça de um governante que foi passivo e negligente. Sem contar a violação das claras leis divinas que exigiam medidas que não foram tomadas.

No caso de Amnom, primogênito de Davi, quando violentou Tamar, sua meia-irmã, o que deveria ter sido feito? Quais eram as medidas a serem tomadas? Apesar de não termos todos os detalhes dos desdobramentos de a tais circunstâncias, podemos inferir com base na aplicação lógica da Lei de Moisés, dada pelo Senhor para reger a nação de Israel. Um texto sugere que o episódio poderia terminar com a pena de morte se Tamar tivesse um casamento contratado (Deuteronômio 22.23-27); como essa informação não é dada na Bíblia, presumimos que esse não era o caso. A outra opção, para uma moça virgem, não prometida a ninguém, era:

> "— Se um homem encontrar uma moça virgem, que não tem casamento contratado, e a pegar à força, e tiver relações com ela, e eles forem apanhados, então o homem que teve relações com ela pagará ao pai da moça cinquenta barras de prata; e, uma vez que a humilhou, terá de recebê-la por esposa; não poderá mandá-la embora durante a sua vida" (Deuteronômio 22.28, 29).

O casamento era a forma de "resgatar a honra da moça" e, diferente dos demais casos na Lei mosaica, esse não teria direito a divórcio. A exceção ao casamento era uma recusa deliberada do pai; mas, nesse caso, deveria haver retratação pública mediante o pagamento do dote:

> "— Se alguém seduzir uma virgem que ainda não foi prometida em casamento e tiver relações com ela, pagará seu dote e a tomará por mulher. Se o pai dela definitivamente não quiser dar-lhe a moça em casamento, aquele que a seduziu pagará em dinheiro conforme o dote das virgens" (Êxodo 22.16,17).

Nenhuma dessas medidas foram tomadas. Tamar foi viver, desolada, na casa de seu irmão Absalão que, por sua vez, nunca viu o pai fazer absolutamente nada a respeito do ocorrido. Não houve nenhuma repreensão paterna e nenhum ato real de punição!

O resultado? O ódio passou a crescer e se desenvolver dentro de Absalão que, um dia, decidiu vingar-se por Tamar e assassinar seu próprio irmão. Foi ato previsível? Não para Davi, pai omisso e ausente, que não dialogava com os filhos. Contudo, Jonadabe, sobrinho de Davi, já havia vislumbrado qual seria o fim da história. Veja o que a Bíblia registrou sobre esse ocorrido:

Absalão deu ordem aos seus moços, dizendo:

— Fiquem atentos! Quando o coração de Amnom estiver alegre de vinho, e eu der uma ordem para matá-lo, então matem-no. Não tenham medo, pois sou eu quem está ordenando. Sejam fortes e valentes.

E os moços de Absalão fizeram com Amnom como Absalão lhes havia ordenado. Então todos os filhos do rei se levantaram, cada um montou a sua mula, e fugiram.

Estavam eles ainda a caminho, quando chegou a Davi esta notícia: "Absalão matou todos os filhos do rei, e nenhum deles escapou." Então o rei se levantou, rasgou as suas roupas e se lançou por terra. E todos os seus servos que estavam presentes rasgaram também as suas roupas. Mas *Jonadabe, filho de Simeia, irmão de Davi*, tomou a palavra e disse:

— Não pense o meu senhor que mataram todos os jovens, filhos do rei, porque *somente Amnom morreu. Absalão tinha resolvido fazer isso, desde o dia em que a* sua irmã *Tamar foi violentada por Amnom.* Portanto, que o rei, meu senhor, não ponha na cabeça essa ideia de que todos os filhos do rei morreram, porque só Amnom morreu" (2Samuel 13.28-33).

Sem querer justificar o pecado de Absalão, que foi uma escolha dele, precisamos reconhecer que, se o rei Davi tivesse intervindo como pai — ou mesmo como governante —, o desfecho da história poderia ser diferente. O anseio da vingança de Absalão baseava-se na impunidade de Amnom, e a omissão na aplicação da punição é creditada na conta de Davi. Assim, Absalão, o terceiro filho de Davi, tornou-se um assassino. Agora o problema familiar amplifica-se de um estupro incestuoso a um homicídio. E o erro da negligência paterna se repetiu... novamente Davi silenciou. Nada disse, nada fez a respeito do assunto. Ele apenas deixou o tempo passar, aplacou sua fúria, consolou-se da morte do filho e deixou o assassino impune:

"Absalão, porém, fugiu e foi ficar com Talmai, filho de Amiúde, rei de Gesur. E Davi pranteava por seu filho todos os dias. Assim, Absalão fugiu, indo para Gesur, onde ficou três anos. Então o rei Davi cessou de perseguir Absalão, porque já tinha se consolado a respeito de Amnom, que era morto" (2Samuel 13.37-39).

Um guerreiro como Davi, com um exército e valentes como o que tinha, não poderia ter ido atrás de Absalão? Exigido que o rei Gesur entregasse o neto de Talmai a qualquer custo? Novamente vemos a omissão na correção. E isso era apenas a extensão ou a repetição do padrão negligente que encontramos nele.

Quais seriam as medidas que Davi, senão como pai, no mínimo como governante, deveria ter tomado? A Lei de Moisés determinava retribuição do dano praticado: "[...] Mas, se houver dano grave, então o castigo será vida por vida, olho por olho, dente por dente, mão por mão, pé por pé, queimadura por queimadura, ferimento por ferimento, golpe por golpe." (Êxodo 21.23-25). Quem furasse o olho de alguém teria o seu próprio olho perfurado; quem quebrasse o dente de alguém teria o seu próprio dente fraturado; quem tirasse a vida de alguém teria a sua vida tirada! Absalão, de acordo com as leis do Antigo Testamento, passou automaticamente a estar condenado à morte após o homicídio cometido. Além disso, a instrução bíblica sobre não deixar o assassino impune e não ter compaixão dele também era clara e objetiva: "[...] Não olhem para ele com piedade: vida por vida, olho por olho, dente por dente, mão por mão, pé por pé" (Deuteronômio 19.21). Mas, novamente, Davi foi faltoso.

O resultado? Os problemas não resolvidos tendem a não apenas se avolumar, como também a cobrar a conta depois. Sempre com juros e correção monetária! Absalão voltou progressivamente a ocupar um espaço dentro da família real. Ainda que Davi o tenha ignorado por anos, outra repetição de sua *indiligência* paterna, Absalão foi recuperando, aos poucos, a influência que precisava para o seu erro final: rebelar-se contra o pai, tomar seu trono, possuir suas concubinas (o que ainda nos parece ser um anseio de vingança pela dor do que a irmã passou e a omissão do pai) e, por fim, tentar matar Davi.

Por incrível que pareça, nunca conhecemos alguém que tenha sido criado por pais que não impuseram limites, não se importaram em corrigir e que, no final das contas, tenha se sentido amado. Lembramos de um caso específico, de um jovem adulto que chorava diante de nós dizendo que o que ele mais queria na vida era ter sido amado pelos seus pais. Esperávamos um quadro de abandono ou abuso, mas ele descreveu um cenário completamente distinto. Seus pais lhe deram tudo o que ele sempre quis, nunca o corrigiram nem estabeleceram limites. Contudo, a conclusão do garoto foi: "Ninguém que realmente se importa com um filho o deixaria sem limites ou correção!".

Já vimos o suficiente, seja nas histórias bíblicas seja na experiência pastoral, para saber que os danos da omissão na correção são gigantescos. Quando os pais biológicos são omissos na correção, além dos danos da falta de limites, de um caráter não forjado corretamente, do senso de não ser amado, os filhos ainda terão outro prejuízo: não terão, ao crescerem, o parâmetro correto para entender o trato do Pai celestial com seus filhos terrenos. A Escritura é clara nessa comparação: "Porque o Senhor repreende a quem ama, assim como um pai repreende o filho a quem quer bem" (Provérbios 3.12).

Gente que cresce sem confronto e correção paterna não consegue entender a correção divina pela falta de comparação. A distorção de que não há amor na correção já foi inseminada no subconsciente delas e, em décadas de nossa vivência pastoral de aconselhamento, constatamos que essas pessoas são as que mais entram em crise quando confrontadas pelo Pai celestial, que nunca se nivelará ao padrão dos pais terrenos que foram omissos na disciplina.

Que sejamos pais firmes que, justamente porque amam, estabelecem limites e corrigem seus filhos. Para o bem deles e para a glória de Deus!

* * *

PERGUNTAS PARA REFLEXÃO

1. Se por um lado, a aplicação da correção traz benefícios aos filhos, por outro, sua omissão certamente traz malefícios. Quais são os danos da falta da correção?

2. Qual a relação entre ausência de correção e falta de limites?

3. Ainda pior do que os danos naturais, causados pela omissão da disciplina, são os de ordem espiritual. Você concorda com isso? Por que?

PARTE 3

TEMPO

11
O TEMPO DA ALJAVA

Apresentamos, ao longo do livro, a alegoria que o salmista faz dos filhos como flechas (Salmos 127.4) e, explorando esse paralelo, dividimos o nosso ensino em três seções. Mostramos, na primeira seção, que a flecha deve ser lançada com a finalidade de atingir o alvo e o definimos como o propósito divino a ser alcançado por todo ser humano que Deus confia a nós na condição de filhos. Depois, na segunda seção, desenvolvemos a visão da preparação das flechas, que se resume na missão da criação e da educação. Finalmente, iniciamos neste capítulo a última seção, apresentando o tempo da aljava.

A flecha não é imediatamente disparada quando acaba de ser preparada. Ela fica, até a hora de ser usada, na aljava — um "coldre ou estojo sem tampa em que se guardavam e transportavam as setas, e que era carregado nas costas, pendente do ombro".[1] Um exemplo disso pode ser visto no episódio em que Isaque pede a Esaú que lhe prepare uma saborosa refeição para o momento em que o abençoaria: "— Pegue agora as suas armas, a sua aljava e o seu arco, vá ao campo e apanhe para mim alguma caça" (Gênesis 27.3). A instrução dada nem menciona as flechas, apenas a aljava onde elas ficavam armazenadas até a hora de serem lançadas.

---

[1] HOUAISS, Antônio. **Dicionário Houaiss da Língua Portuguesa**. Rio de Janeiro: Objetiva, 2009. p. 97.

Esse simbolismo também é aplicado nas Escrituras. O livro do profeta Isaías apresenta isto não apenas como mero reconhecimento do processo de preparação e projeção das flechas, mas com evidente aplicação na forma em que o Pai celestial — nosso modelo de paternidade — trata conosco: "Ele fez de mim uma flecha polida, e me *guardou na sua aljava*" (Isaías 49.2b).

Depois da preparação, que é evidenciada na frase "fez de mim uma flecha polida", o próximo passo é a aljava. Esta retrata o tempo da espera até a hora de a flecha ser lançada. Acreditamos que não somente os pais, na qualidade de guardiães e cooperadores do destino profético dos filhos, devem entender essa verdade, como também os próprios filhos necessitam ser ensinados acerca da importância da espera.

Esperar e discernir o momento correto de lançar os filhos é uma forma de evitar dois tipos de erros — que percebemos serem os equívocos mais comuns que os pais cometem. O primeiro deles é projetar as flechas antes de elas estarem preparadas. O segundo é quando, mesmo que os filhos já estejam prontos, os pais ainda não compreenderam o alvo a ser atingido.

Lançamentos prematuros, forçados, normalmente não terminam bem. Tampouco movimentos isolados dos filhos, sem ser projetados pelos pais, costumam ter êxito. Um exemplo disso é a parábola do filho pródigo, ensinada pelo Senhor Jesus.

Obviamente não estamos falando de filhos que, na ausência dos pais, ou mesmo na falta de pais cristãos, tementes a Deus, com valores bíblicos, não possam seguir um chamado recebido diretamente dos céus. O foco da mensagem é justamente o entendimento a ser promovido aos pais que, por sua vez, deverão ensinar os filhos sobre o tempo correto para todas as coisas.

HÁ TEMPO PARA TUDO

A Palavra de Deus nos ensina que "Tudo tem o seu tempo determinado, e há tempo para todo propósito debaixo do céu" (Eclesiastes 3.1). Os tempos e as estações devem ser respeitados. E, quanto a isto, podemos incluir tanto as fases naturais como as etapas do propósito divino na vida de cada um.

Infelizmente, temos presenciado, mesmo nos círculos evangélicos, pais que não educam seus filhos em relação à espera. Eles crescem sem limites estabelecidos em relação ao tempo certo para cada coisa; dirigem os carros antes da maioridade e de terem habilitação, namoram muito cedo e sem propósito, com escassez de valores e, como consequência, experimentam a intimidade sexual antes do casamento, abrem seus próprios ministérios sem terem sido enviados, e a lista vai longe.

Precisamos do entendimento bíblico de que até as coisas de Deus têm sua graça e beleza quando desfrutadas na estação e da forma devidas: *"Deus fez tudo formoso no seu devido tempo.* Também pôs a eternidade no coração do ser humano, sem que este possa descobrir as obras que Deus fez desde o princípio até o fim" (Eclesiastes 3.11).

O mesmo Criador que pôs a eternidade no coração dos homens também quer que eles entendam e respeitem a cronologia dos desdobramentos terrenos do seu propósito na vida de cada um. A Bíblia diz que Deus "fez tudo formoso no seu devido tempo". Nada que é vivido antes do tempo devido será tão prazeroso, completo e eficaz como aquilo que é desfrutado dentro do tempo divino.

Esperar não é algo empolgante. Na verdade, para a grande maioria das pessoas, a espera é algo difícil. Mas não é, no mínimo, curioso que o Senhor trabalhe com o princípio da espera? Por exemplo, entre todas as promessas de Deus e o seu cumprimento há um intervalo; trata-se de um período de espera até que tudo o que foi prometido se cumpra. Embora a espera tenha certa carga de desconforto, é fato que ela produz mais resultados do lado de dentro do que do lado de fora. Ou seja, enquanto aguardamos a realização daquilo que o Altíssimo prometeu, nosso caráter é forjado na paciência. As Escrituras são enfáticas quanto à combinação de fé e paciência no recebimento das promessas divinas:

> "Desejamos que cada um de vós mostre o mesmo zelo até o fim, para completa certeza da esperança. Não desejamos que vos torneis negligentes, mas sejais imitadores dos que pela fé e paciência herdam as promessas." (Hebreus 6.11-12, *ARC*),

Ao falar sobre a perseverança e sobre não nos desesperançarmos em meio às lutas, o autor de Hebreus, sob inspiração divina, afirma ser necessário imitar os que pela fé e paciência herdam as promessas, ou seja, não herdamos as promessas divinas apenas pela fé, mas pela fé e pela paciência juntamente!

Isto não dá sustento à visão de uma fé automática, de resultados *sempre* instantâneos, mas nos leva a perceber que a espera faz parte do processo de intervenção divina. Abraão foi chamado de "o pai da fé" e nos deixou um exemplo a ser seguido. Vemos isso quando Paulo, em Romanos 4, depois de chamar Abraão de "o pai da fé", diz que devemos seguir as pisadas da fé do patriarca. E em Hebreus ele é novamente apresentado como exemplo: "E assim, depois de esperar com paciência, Abraão obteve a promessa" (Hebreus 6.15).

Você já teve a impressão de que Deus parece, quer nos exemplos bíblicos quer na nossa vida, prometer as coisas com bastante antecedência antes de que elas se cumpram? Quando ele fez a promessa a Abraão, de dar-lhe um filho, o patriarca tinha 75 anos de idade (Gênesis 12.4), mas, quando a promessa se cumpriu, ele já estava com 100 anos de idade (Gênesis 21.5), o que perfaz um período de espera de vinte e cinco anos! Davi também precisou esperar por muitos anos o cumprimento da promessa de ser rei sobre a nação de Israel. Não temos o período exato, mas acredita-se que, desde o dia em que Samuel o ungiu até o dia em que ele se assentou sobre o trono, pelo menos quinze anos se passaram.

A espera não é um sinal de derrota, ou de falta de fé. Ela faz parte da operação da própria fé! É o período em que o Eterno trabalha mais dentro do que fora de nós. A espera nos amadurece para que possamos receber o que o Senhor tem para nós.

A IMPORTÂNCIA DA MATURIDADE

É necessário, antes de detalhar melhor a importância da espera, estabelecer outro fundamento bíblico. Trata-se da importância da maturidade que, assim como a espera, também está relacionada com o tempo da aljava: "Digo, porém, o seguinte: *durante o tempo em que o herdeiro é menor de idade*, em nada difere de um escravo, mesmo sendo senhor de tudo. Mas está sob tutores e curadores até o tempo predeterminado pelo pai" (Gálatas 4.1,2).

Esse texto é muito revelador. Transcrevemos, na sequência, um comentário sobre ele.

Por que o pai estabelecia um tempo antes de o filho poder usufruir a herança? Pela evidente falta de maturidade para exercer uma sábia gestão.

Tal imaturidade está implícita na palavra "menor" que, no grego, é *nepios* (νηπιος). Strong, em seu Léxico, a define como "infante, criancinha, menor, não de idade". Também acrescenta o sentido metafórico: "infantil, imaturo, inexperiente". Obviamente, quem precisa de tutores e curadores ainda não está em condições de governar a própria vida. [...]

É certo que a maturidade é um fator determinante para que haja uma boa gestão da herança. Por isso a criança devia ser ensinada e treinada — enquanto amadurecia física e emocionalmente — para, então, ser liberada a usufruir da herança.

Paulo, depois de usar a alegoria da criança que necessita tanto de tutores e curadores quanto de um tempo determinado pelo pai antes de acessar a herança, inicia o versículo seguinte com a declaração: "Assim, também nós..." (Gálatas 4.3). Um paralelo foi estabelecido. A mensagem é clara: nós também devemos amadurecer a fim de poder acessar a herança plena.

Um exemplo bíblico a ser considerado está na parábola do filho pródigo (Lucas 15.11-32). A analogia apresentada pelo Senhor Jesus aponta para alguém que, ao receber a herança antes da hora — ainda novo e despreparado, com o pai vivo —, demonstrou, com seu comportamento, a própria imaturidade. Normalmente, só há um desfecho nesses casos: desperdício da herança.[2]

Drummond Lacerda, no livro *"Fora do Alcance das Crianças"*, ilustrou de forma acurada a necessidade de maturidade:

> Você já deve ter visto essa frase em muitas embalagens. Remédios, produtos de limpeza, objetos cortantes ou pequenos demais costumam conter esse aviso. Quem coloca essa advertência nos rótulos visa proteger a criança. Afinal, aquilo que deveria ser usado para limpar, curar e facilitar a vida de um adulto pode causar dor e até mesmo morte em mãos imaturas.
>
> Existem muitas bênçãos de Deus que estão *fora do alcance das crianças*. O Eterno só está esperando nossa maturidade para entregá-las. Muitas vezes não é a falta de oração, jejum ou frequência nos cultos, e sim nossa falta de maturidade, que tem nos afastado do que é bom.[3]

---

[2] SUBIRÁ, Luciano. **Maturidade**: O Acesso à Herança Plena. Rio de Janeiro: Central Gospel, 2018. p. 42-44.

[3] LACERDA, Drummond. **Fora do alcance das crianças**. Curitiba: Orvalho.Com, 2017. Contracapa.

Foi exatamente acerca disso que Paulo escreveu aos crentes da Galácia. Em vez de usar como exemplo a advertência na embalagem de determinados produtos, o que não existia na época, o apóstolo empregou a ilustração do filho vetado de usufruir a herança antes do tempo.

A importância da maturidade para se usufruir dos privilégios da herança completa é inegável, quer pela perspectiva do simbolismo de como o Pai celestial nos trata, quer pela ótica de como os próprios pais terrenos entendiam que deviam lidar com os filhos ainda imaturos. Entendido esse princípio, passemos agora ao reconhecimento de que esse tipo de desenvolvimento e maturidade requer tempo. Demonstramos, no capítulo 5, que não há crescimento imediato.

O tempo da aljava é imprescindível no processo de amadurecimento dos filhos. É fato que maturidade não se desenvolve apenas com o tempo, mas com a combinação deste com os processos. As experiências e os processos de amadurecimento decorrentes delas, se devidamente aproveitados, podem ajudar no aperfeiçoamento dos filhos.

DISCERNINDO O TEMPO

Compreendida a importância da maturidade, bem como a necessidade de tempo (e processos) para que ela se desenvolva, há outras duas verdades importantes que estão relacionadas e que devem igualmente ser entendidas e aplicadas pelos progenitores:

Não devemos exigir dos filhos maturidade *antes* da hora;

Não devemos nos *omitir* quando o momento de cobrá-los chega.

Encontramos base bíblica para as duas afirmações. Quanto à primeira, Paulo declarou:

> Quando eu era menino, falava como menino, sentia como menino, pensava como menino; quando cheguei a ser homem, desisti das coisas próprias de menino. (1Coríntios 13.11)

O apóstolo aponta que não se pode esperar comportamento de homem nos meninos tampouco atitudes de meninos nos homens.

Quanto à segunda verdade, de não omitir a cobrança de que os filhos ajam com maturidade condizente à fase em que se encontrem, constatamos isto tanto nas palavras de Paulo aos coríntios como também no registro da cura de um cego, no Evangelho de João:

> Os judeus não acreditaram que ele tinha sido cego e que agora podia ver, enquanto não chamaram os pais dele e lhes perguntaram:
>
> — É este o filho de vocês, que vocês dizem que nasceu cego? Como é que agora ele está vendo?
>
> Então os pais responderam:
>
> — Sabemos que este é o nosso filho e que nasceu cego, mas não sabemos como agora está vendo. E também não sabemos quem lhe abriu os olhos. Perguntem a ele, pois *já tem idade e poderá falar por si mesmo*. (João 9.18-21)

A frase "já tem idade e poderá falar por si mesmo" é bem esclarecedora. Alguns pais, infelizmente, parecem navegar entre os extremos: ou falham em dar autonomia aos filhos antes da hora ou parecem nunca querer fazê-lo. É sábio buscar o equilíbrio. E isso envolve manter os filhos na aljava até a hora da projeção. Nem tempo demais nem de menos. É claro que, de acordo com o plano de Deus, isso pode mudar de uma família para outra e, mesmo dentro da mesma casa, de um filho para outro.

Não basta apenas conhecer o alvo ou o propósito divino a ser alcançado por cada filho no tempo correto. De acordo com as Sagradas Escrituras, o coração do sábio entende tanto o tempo como também o modo:

> "Quem guarda o mandamento não experimenta nenhum mal; e o coração do sábio conhece o tempo e o modo certo de agir. Porque há um tempo e um modo para todo propósito; porque é grande o mal que pesa sobre o ser humano" (Eclesiastes 8.5,6).

Há um episódio bíblico, tratando desse quesito, que nos chama a atenção. Trata-se da resposta de Moisés à convicção interior que ele carregava acerca do seu chamado. Estevão, o primeiro mártir, em sua última pregação, foi usado por Deus para presentear-nos com este entendimento:

> E Moisés foi educado em toda a ciência dos egípcios e era poderoso em palavras e obras.
>
> — Quando completou quarenta anos, Moisés teve a ideia de visitar os seus irmãos, os filhos de Israel. Vendo um homem ser maltratado, saiu em

defesa dele e vingou o oprimido, matando o egípcio. Ora, *Moisés pensava que seus irmãos entenderiam que Deus queria salvá-los por meio dele*; eles, porém, não entenderam. (Atos 7.22-25).

Destacamos que a visão da vida de Moisés não retrata mera visão pessoal de Estevão; é o reflexo da inspiração do Espírito Santo. Portanto, o Senhor queria que nós soubéssemos que o libertador dos israelitas, quarenta anos antes do encontro com Deus na sarça ardente, já estava ciente que o Altíssimo iria salvar seu povo por intermédio dele. E Moisés não apenas sabia desse propósito, como também esperava que seus compatriotas entendessem o propósito divino que ele carregava. Contudo, ainda há outras duas questões que precisam ser consideradas nessa história: 1) o reconhecimento de terceiros do nosso chamado; 2) o tempo correto para viver o chamado.

Reconhecimento de terceiros do nosso chamado

O texto bíblico aponta que os hebreus não entenderam o mesmo que Moisés sobre ele ser o libertador deles. Na verdade, nem mesmo o próprio faraó entendeu e, depois de tomar conhecimento do homicídio do egípcio, acabou tentando executar Moisés pelo ocorrido (Êxodo 2.15), o que fez com que ele tivesse que fugir do Egito e esperar por quatro décadas antes de ser chamado e enviado pelo Senhor.

Moisés estava certo quanto ao seu chamado? Sim, mas o fato de não esperar uma sinalização divina, um comissionamento claro do Senhor e o reconhecimento de terceiros sobre o mesmo chamado o levou a errar (explicaremos isso adiante).

A lição a ser extraída desse ocorrido é que não adianta alguém ter convicção do propósito divino sozinho. Deus normalmente usa pessoas para projetar outras e a convicção do chamado precisa ser não somente de quem será enviado, mas também de terceiros, em especial dos que enviarão e/ou dos que receberão o enviado.

Já constatamos, em nossos anos de ministério pastoral, que muita gente erra nesse sentido. Quando o assunto é propósito, pode-se dizer que eles têm um alvo correto, ou seja, a convicção tanto do propósito como do chamado divinos. Entretanto, não parecem compreender que outros também precisam entender o mesmo propósito para liberá-los e enviá-los.

A Palavra de Deus nos mostra o Espírito Santo, em Antioquia, falando aos líderes da igreja: "— Separem-me, agora, Barnabé e Saulo para a obra a que os tenho chamado" (Atos 13.2). Quem primeiramente tinha o projeto, a convicção do chamado, era os que Deus estava recrutando: Barnabé e Saulo. Contudo, o Senhor também falou com a liderança da igreja para liberá-los e enviá-los! Essa combinação de convicções e reconhecimento de chamado é uma das coisas mais importantes para quem é chamado por Deus.

O tempo certo

A precipitação de Moisés também precisa ser avaliada. Ele matou o egípcio movido pela *sua própria* indignação e vontade de viver o cumprimento da sua convicção, fato que se deduz por não haver, até então, nenhum chamado ou comissionamento divino. Deus tinha um *tempo específico* para os desdobramentos futuros. O Altíssimo revelou isso a Abraão; tanto em relação aos *israelitas* — que ficariam quatrocentos anos em terra alheia e sujeitos à escravidão —, como também em relação aos *cananeus*, que tinham um tempo de longanimidade antes de o juízo ser liberado sobre eles (Gênesis 15.12-16). Entretanto, as Escrituras registram que Israel saiu do Egito com quatrocentos e trinta anos de escravidão (Êxodo 12.40,41), ou seja, três décadas de *atraso*. A pergunta a ser feita é: o que retardou o êxodo dos israelitas?

Estevão afirmou que "quando já estava próximo o *tempo* em que Deus cumpriria a promessa feita a Abraão, o povo cresceu e se multiplicou no Egito" (Atos 7.17). A palavra aqui traduzida por "tempo", no original grego, é *chronos*; isto fala do tempo cronológico, medido pelo calendário — uma menção aos quatrocentos anos de permanência no Egito que foram revelados a Abraão. Contudo, na sequência de seu sermão, Estevão também afirma "Por esse *tempo* nasceu Moisés, que era formoso aos olhos de Deus" (Atos 7.20). A palavra aqui traduzida por "tempo", no original grego, é *kairós*; uma estação profética. Ou seja, quando o tempo cronológico (da promessa dos quatrocentos anos no Egito) se aproximava, Moisés nasceu, num tempo profético, para ser parte do cumprimento do propósito divino.

O problema é que Moisés atrasou o processo da saída dos israelitas. A conta a ser feita é a seguinte: se Israel saiu do Egito com quatrocentos e trinta anos de escravidão, então, Moisés, que matou o egípcio quarenta anos antes, o fez no ano trezentos e noventa da permanência deles no Egito. Ou seja, ainda faltavam dez anos para que se cumprisse o tempo anunciado pelo Eterno ao patriarca Abraão. Ainda não era a hora de tentar libertar o povo! Moisés não estava equivocado acerca do seu propósito; contudo, errou no fator tempo, por impaciência.

É fato que alguns filhos espirituais (e até mesmo naturais) não sabem lidar com o tempo da aljava, da espera. Precipitam-se como Moisés e amargam dores desnecessárias para si e para os outros. Esse grande homem de Deus não atrasou o plano divino apenas para si; ao decidir não esperar uma década, ele fez com que os hebreus passassem três décadas a mais do que era necessário, no Egito. Só depois da morte do faraó que o perseguia é que Moisés pode finalmente voltar ao Egito. A "poeira" demorou a baixar. Já tomamos conhecimento de muitas divisões desnecessárias nas igrejas; de gente que, convicta do seu chamado, não esperou nem pelo reconhecimento de outros nem pelo tempo certo.

ENTENDENDO A ESPERA

O tempo da aljava forja o caráter dos filhos. Ensina-os a não ser rebeldes ou autossuficientes e ainda os estimula a confiar plenamente em Deus. Também os prepara para viver sob a liderança e autoridade daqueles que o Senhor levanta para dar destino às suas vidas, em especial os pais.

Há aspectos, relacionados com a espera, que são tanto naturais como espirituais. Os *naturais* envolvem as fases do crescimento e de responsabilidades; por exemplo, permiti-los dirigir somente com a idade de acordo com os processos que as leis exigem. Os aspectos *espirituais* englobam o entendimento do propósito profético que, além da percepção do alvo, também incluem a compreensão do tempo e do modo (Eclesiastes 8.5,6). Aqui se requer mais do que a compreensão dos limites naturais; é necessário discernimento e sensibilidade à orientação do Espírito Santo.

A verdade é que, se os filhos não forem treinados a esperar a hora certa nas coisas mais simples, certamente não terão a capacidade de fazê--lo depois de crescidos, em questões mais sérias da vida. Os pais cristãos têm um papel importantíssimo em ensiná-los a esperar. Em nossa casa havia um *decreto* — no estilo dos reis da Média e da Pérsia: irrevogável — que não permitia nossos filhos namorarem antes dos 18 anos de idade. O curioso é que quando alguns pais (igualmente evangélicos) tomavam conhecimento disso, nos questionavam: "Onde está escrito, na Bíblia, que tem idade certa para começar a namorar?". Diante disso, costumávamos responder: "Está escrito, na Bíblia, que os filhos têm que obedecer aos seus pais, não somente a Deus!".

Incomoda-nos profundamente, até hoje, ver pais que estimulam precocemente seus filhos quanto aos relacionamentos. Parece que, aos olhos de alguns, se a filha já começou a ovular está quase atrasada para um relacionamento; se o filho começou a ter os primeiros fios de barba nascendo, então já devia estar namorando. Grande armadilha! Essa mentalidade de apressar os relacionamentos contribui para o erro. Os pais deveriam entender que o casamento não é mera união de pessoas, mas de propósitos. Essa é a mensagem que pretendemos transmitir com este livro. Preparar os filhos para viverem o propósito divino. Contudo, como adolescentes, que ainda não entenderam nem o próprio propósito, acreditam estar preparados para escolher a pessoa com quem dividirão o restante de suas vidas?

A razão para termos estabelecido uma idade mínima para nossos filhos poderem namorar foi, além do fato de que a Kelly e eu também esperamos até os 18 anos de idade, para ajudá-los a priorizar a compreensão do propósito divino em suas vidas. Os adolescentes fazem escolhas precoces, baseados em emoções — e inclua aí seus estímulos hormonais —, sem compreensão do propósito a ser buscado ou do compromisso a ser mantido depois do início de um relacionamento. Como esperar que isso dure ou seja eficaz? Se não precisam esperar em quase nada, por que deduzir que eles esperarão o casamento antes de desfrutarem de intimidade sexual?

O percentual de jovens que cresceu na igreja e não se casa virgem é altíssimo! Eles já têm pressão suficiente da mídia e da sociedade e, em vez de ajudá-los a firmar seus valores e a espera, ainda seremos cúmplices do reino das trevas para boicotá-los do melhor de Deus? Não podemos ignorar a declaração de Cristo: "— Quem é fiel no pouco também é fiel no muito; e quem é injusto no pouco também é injusto no muito" (Lucas 16.10). Se nossos filhos não forem exercitados a esperarem nas "coisas menores", por que achar que esperarão nas "coisas maiores"? Na criação dos nossos filhos, fomos considerados "firmes demais", até por amigos mais próximos, em relação a isso. Mas não abrimos mão de nossa convicção. Há um episódio interessante que queremos compartilhar acerca disso.

Quando o Israel, nosso primogênito, estava com 17 anos de idade, ele pediu a minha permissão para começar a conversar com a Priscilla, hoje nossa nora. Retruquei gentilmente dizendo que ele ainda não tinha os 18 anos de idade — nosso prazo mínimo para iniciar um namoro. A resposta dele veio de pronto: "Eu sei disso, pai. Mas pelo que eu entendo essa é a idade que eu preciso ter para formalizar um romance, o que ainda nem sei se irá acontecer. Quero apenas me aproximar mais, conhecê-la melhor, fortalecer a amizade — que o senhor mesmo me ensinou ser importante ter — antes de levar o relacionamento adiante".

Confesso que gostei da argumentação dele. Entretanto, enfatizei que, apesar da lógica dele estar correta, ele não estava enxergando o quadro completo. Procurei mostrar-lhe que a conversa tanto poderia demorar a se desenvolver, como também poderia surpreendê-lo com desdobramentos mais rápidos do que ele imaginava. E o adverti que, nessa segunda opção, ele passaria a ter outro problema: ver tanto o relacionamento como os sentimentos se desenvolverem sem que, antes dos 18 anos, ele pudesse oficializar o namoro. E antecipei que, se assim fosse, isso exigiria dele firmeza ainda maior no propósito que tínhamos; garanti a ele que seria testado em níveis que desconhecia, uma vez que o elemento emocional é muito distinto do racional. Ao final de nossa boa conversa, ele me garantiu que, mesmo ciente do desafio, seguiria em frente se eu e o pai da garota o abençoássemos. E foi o que fizemos, sem deixar, contudo, de enfatizar que, na hora certa, eu seria obrigado a lembrá-lo de nosso diálogo.

Depois de três meses de conversas (que eu sempre supervisionava), o previsto aconteceu: ambos estavam apaixonadíssimos. Então, uma nova fase de conversas começou com ele, dessa vez, sondando a possibilidade de se declarar a ela. Os pais da Priscilla também entendiam que o Isra não deveria demorar em declarar seus sentimentos a ela. Então sentei-me novamente com meu menino para outra conversa e asseverei a ele que, mesmo depois de abrir o coração para a Priscilla e ter o consentimento dela para iniciarem um tempo formal de oração acerca do possível relacionamento, ele ainda estava debaixo de regras e as limitações da sua idade não permitiriam o início do namoro até que completasse os 18 anos. Assegurei que, naquela nova fase, a espera seria ainda mais difícil, porque os sentimentos seguiriam crescendo e, mesmo ciente disso, meu filho escolheu avançar. Aproveitou uma viagem nossa, em família, e se declarou em grande estilo, com direito a várias surpresas que ele planejou fazer para ela.

Ainda faltavam quatro meses para meu filho ser liberado para o início do namoro. Ambos tinham decidido, por eles mesmos, que manteriam um propósito de pureza e somente dariam o primeiro beijo no altar, no dia do casamento. Por causa disso, mantive novo diálogo com o Isra. E questionei qual seria a diferença entre o *pré-namoro* e o *namoro* uma vez que eles nem sequer manteriam contato físico na nova fase. Garanti a meu filho que o acordo de esperar até os 18 anos não deveria ser "só para inglês ver". Portanto, defini uma nova regra (antes mesmo de se declarar a ela); depois de comunicar seus sentimentos à Priscilla e darem início ao tempo de oração, ele não poderia, sem meu consentimento, fazer nenhuma outra declaração naquele período de espera. Garanti à Pri, por ser um pouco mais velha que ele, que as regras não se aplicavam a ela, só a ele; contudo, ela acabaria sendo afetada.

Certo dia, ele terminou uma conversa enviando para ela, por mensagem de texto, um coração amarelo que, segundo ele, indicava apenas um "eu gosto de você", não um "eu amo você", que deveria ser sinalizado por um coração vermelho. Fizemos uma reunião virtual, uma espécie de teleconferência, e revi as regras com os dois apaixonados e também os pais dela. Lembrei o Israel (na frente deles) que a proibição não se tratava de que tipo de sentimento seria comunicado; nenhum deles estava permitido, não importava se comunicava pouco ou muito sentimento. Cerca de dois meses para completar o prazo da oficialização do relacionamento, eles se empolgaram e, ao final de uma conversa, mesmo lembrando que não deviam, trocaram *coraçõezinhos* nas mensagens de texto; primeiro amarelos e depois vermelhos. Isso terminou em uma outra reunião virtual de família, com o Abe e a Andrea

Huber (os pais da Priscilla e nossos pastores) envolvidos. Alguns amigos, que posteriormente tomaram ciência desse ocorrido, me questionaram: "Com filhos exemplares, virgens, que aguardaram até o casamento para dar o primeiro beijo, vocês, pais de ambos, estavam preocupados com troca de corações nas mensagens?". E eu precisei responder, várias vezes, que não se tratava da troca de corações nas mensagens —, o que foi liberado para eles depois do início do namoro —, e sim de um exercício, tanto de *espera* como de *fidelidade*, aos padrões e regras estabelecidos.

Quando os princípios, valores e regras começam a ser relativizados por causa das circunstâncias, o desfecho será indubitavelmente triste e caótico. Mesmo nas pequenas coisas, a espera deve ser ensinada e exercitada sem negociação e, então, o resultado será sempre de bênçãos.

* * *

PERGUNTAS PARA REFLEXÃO

1. Quais são os principais elementos a serem reconhecidos para que possamos projetar nossos filhos?

2. Quais são os dois tipos de erros mais comuns que os pais cometem quanto à questão do tempo?

3. Uma das lições que aprendemos com Moisés é que alguém pode ter o chamado correto e tentar executá-lo antes do tempo. Como podemos evitar esse tipo de erro?

4. A espera deve ser vista, por nossos filhos, como uma espécie de treinamento. Se os filhos não forem treinados a esperar a hora certa nas coisas mais simples, certamente não terão a capacidade de fazê-lo depois de crescidos, em questões mais sérias da vida. Você já conversa acerca destas questões com seus filhos? Ou pelo menos com seu cônjuge?

12

INVESTINDO NAS MEMÓRIAS

Outra decisão que tomamos na criação de nossos filhos e que priorizamos ao longo dos anos, foi investir em suas memórias. Observando o resultado desse investimento na vida deles (e até mesmo os seus próprios relatos sobre isso), entendemos que se trata de uma escolha preciosa. Acreditamos que, no mínimo, seja um bom conselho para transmitir a outros pais.

Sabendo que o contexto de cada casa e família muda, lembramos que os exemplos que compartilharemos aqui estão ligados à nossa realidade, em especial a questão das viagens, que foi algo intenso e frequente para nós por causa da natureza do ministério do Luciano. Certamente a maneira de cada família aplicar este princípio envolverá elementos diferentes da nossa história.

Boas memórias fazem bem e são verdadeiras âncoras emocionais em momentos difíceis. O profeta Jeremias afirmou: "Quero trazer à memória o que pode me dar esperança" (Lamentações 3.21). É fato que boas memórias não apenas proveem sustento em horas de aperto e pesar, como também nos dão senso de propósito. Elas ainda auxiliam a recordar os trilhos dos princípios aprendidos e vivenciados ao longo de nossa existência. Não temos uma doutrina bíblica profunda acerca do assunto, mas percebemos que indubitavelmente há vários textos que nos ajudam a constatar este fato na vida de personagens encontrados nas narrativas das Escrituras Sagradas. Um exemplo disso pode ser visto no salmo 77, onde lemos: "*Penso nos dias* de outrora, *trago à lembrança os anos* de tempos passados" (Salmos 77.5).

É interessante observar que essa afirmação é feita justamente num contexto de aflição. Asafe, a quem é atribuída a composição desse salmo, declarou: "No dia da minha angústia, procuro o Senhor; erguem-se as minhas mãos durante a noite e não se cansam; a minha alma não encontra consolo" (Salmos 77.2). Nos v. 3 e 4, ele ainda menciona gemidos, um espírito desfalecido e um estado de perturbação. Esses sentimentos que precedem a menção de pensar nos dias de outrora, bem como trazer à lembrança pensamentos de tempos passados, nos ajudam a entender a importância de acessar uma memória marcante. O salmista admitiu pensamentos de incredulidade quanto à ação divina:

> "Será que o Senhor nos rejeitará para sempre? Acaso, não voltará a ser propício? Cessou perpetuamente a sua graça? Caducou a sua promessa para todas as gerações? Será que Deus se esqueceu de ser bondoso? Ou será que encerrou as suas misericórdias na sua ira?" (Salmos 77.7-9).

A crise levou o salmista ao extremo de admitir uma falsa realidade, baseada nos sentimentos, mas não em quem Deus é: "Esta é a minha aflição: o poder do Altíssimo não é mais o mesmo" (Salmos 77.10). O remédio para essa crise gigantesca? Acessar as memórias do histórico de poderosas intervenções divinas ao longo da história do seu povo escolhido.

> *Recordarei os feitos do Senhor*; certamente me *lembrarei das tuas maravilhas da antiguidade. Meditarei em todas as tuas obras* e *pensarei em todos os teus feitos poderosos.* O teu caminho, ó Deus, é de santidade. Que deus é tão grande como o nosso Deus? Tu és o Deus que operas maravilhas e, entre os povos, tens feito notório o teu poder. Com o teu braço remiste o teu povo, os filhos de Jacó e de José. (Salmos 77.11-15)

O salmista falar de recordar as ações divinas é apenas um lado da moeda. Poderia sugerir ser mera escolha do homem, uma espécie de jogo psicológico. Contudo, há que se considerar que, por outro lado, Deus também quer que lembremos dos seus feitos. Na verdade, foi ele quem determinou que o fizéssemos. Veja a instrução dada, por meio de Moisés, aos israelitas:

— Tão somente tenham cuidado e guardem bem a sua alma, para que vocês *não se esqueçam daquelas coisas que os seus olhos têm visto*, e elas não se afastem do seu coração todos os dias da sua vida. Vocês também *contarão isso aos seus filhos e aos filhos dos seus filhos. Não se esqueçam* do dia em que vocês estiveram diante do Senhor, seu Deus, em Horebe, quando o Senhor me disse: "Reúna este povo, e os farei ouvir as minhas palavras, a fim de que aprendam a temer-me durante todos os dias em que viverem na terra e também as ensinem aos seus filhos." (Deuteronômio 4.9,10)

A orientação era clara. Não esquecer os feitos de Deus nem o encontro que tiveram com ele. Além de conservarem viva as lembranças em sua própria geração, os israelitas deveriam perpetuar essas memórias para as gerações seguintes. A exortação ainda seria repetida outras vezes; Moisés os advertiu tanto a que *não se esquecessem* do Senhor (Deuteronômio 8.14), como também a que *se lembrassem* dele (Deuteronômio 8.18).

É inegável que as lembranças de bons momentos podem nos ajudar em momentos de dificuldade. O que ajudou o filho a pródigo a tomar a decisão de se reerguer depois de ter chegado "ao fundo do poço"? Foram suas memórias do ambiente familiar: "Então, caindo em si, disse: 'Quantos trabalhadores de meu pai têm pão com fartura, e eu aqui estou morrendo de fome!' " (Lucas 15.17). Não cremos que ele recordou apenas da fartura de comida que havia em casa; acreditamos que as imagens de um pai amoroso, ainda vivas em sua lembrança, o encorajaram, mesmo envergonhado, a pegar o caminho de volta ao lar. Boas memórias são poderosas e serão um auxílio para toda a vida.

Memórias ruins, por sua vez, não necessitam ser guardadas; pelo contrário, percebemos, na perspectiva bíblica, que elas são, na verdade, descartáveis. Uma prova disso é a afirmação divina: "Pois eis que eu crio novos céus e nova terra; e *não haverá lembrança das coisas passadas, jamais haverá memória delas*" (Isaías 65.17).

Qual a razão de Deus, ao anunciar feitos e coisas novas, *resetar*[1] a memória e editar as lembranças do seu povo? Obviamente é porque elas não são necessárias. Não cremos que isso signifique que automaticamente

---

[1] Neologismo que indica a "ação ou ato de apagar (desfazer) opções escolhidas ou configuradas, normalmente utilizada dentro da informática para desfazer configurações em um computador ou software" (dicionarioinformal.com.br).

após a morte, um estado de amnésia se instale. O apóstolo João presenciou um clamor por justiça, feito pelos mártires, que indica lembranças da vida terrena até mesmo naqueles que já estão com o Senhor (Apocalipse 6.9,10). Contudo, a própria indicação de uma intervenção divina nas memórias indica o poder e a influência que elas possuem, quer benéficas quer maléficas. Essa é a razão pela qual esse tipo de memória não deveria ser cultivada. Quando, porém, não se pode evitá-las, o remédio é buscar tanto em Deus como em consertos reconciliadores a restauração, uma espécie de reedição das lembranças que podem ser experimentadas em Deus.

Talvez um exemplo a ser considerado sobre esse tipo de intervenção divina seja o de José, filho de Jacó. Depois de ter sido traído por seus irmãos, vendido como escravo, e preso injustamente, sua sorte mudou. Esse homem, que saiu da humilhação para a exaltação, sempre reconheceu a mão de Deus em tudo; depois de reencontrar seus irmãos, ele os confortou, mostrando que, à despeito da maldade deles, o Senhor havia transformado o mal em bem (Gênesis 50.20). Como José conseguiu demonstrar tamanha estabilidade emocional diante de tudo o que sofreu? Como chegou ao ponto de pagar o mal com o bem? Há uma informação bíblica que não pode, a nosso ver, ser ignorada no entendimento da história de José: antes de reencontrar os irmãos que o maltrataram, ele admitiu uma intervenção divina em duas áreas específicas de sua vida; os nomes de seus filhos foram dados em evidente relação com esses eventos:

> "Antes de chegar a fome, *nasceram dois filhos a José*, os quais lhe deu Asenate, filha de Potífera, sacerdote de Om. Ao primogênito José chamou de Manassés, pois disse: 'Deus me fez esquecer todo o meu trabalho e toda a casa de meu pai.' Ao segundo deu o nome de Efraim, pois disse: 'Deus me *fez próspero* na terra da minha aflição'" (Gênesis 41.50-52).

A chegada do primeiro filho foi celebrada um tipo de auxílio dos céus: "Deus me fez esquecer". Note que a frase não foi "o tempo me fez esquecer". O esquecimento — que não era amnésia, pois ele demonstrou lembrar de todos quando os reencontrou — era, na verdade, uma reedição divina nas memórias. Era fruto de uma percepção profética de que o Altíssimo ainda estava no controle, não o havia abandonado e ainda queria que José servisse à sua família. Pode-se dizer que foi um entendimento prévio de uma característica divina que, no futuro, o apóstolo Paulo registraria: "Sabemos que todas as coisas cooperam para o bem daqueles que amam a Deus, daqueles que são chamados segundo o seu propósito" (Romanos 8.28).

No nascimento de Efraim, José reconheceu que Deus o fez próspero na terra da sua aflição. Entendemos, portanto, que da mesma forma que ele admitiu que não teria prosperado sem o favor divino, por si mesmo, ele também reconheceu que Deus o fez esquecer aquilo que, por si mesmo, ele não teria conseguido. Memórias ruins podem ser tocadas pelo poder de Deus? Claro que sim! Entretanto, melhor do que nossos filhos necessitarem buscar a restauração delas é evitá-las. Invista em boas memórias.

Nosso foco é destacar o que a Bíblia ensina sobre a criação de filhos; entretanto, há reconhecimento, mesmo daqueles que não creem nas Escrituras, do impacto que o ambiente familiar, com suas memórias, produz no desenvolvimento das crianças. Um artigo da *Revista Pais & Filhos*, de 23 de agosto de 2016, atesta:

> "Muitas correntes da psicologia afirmam que o que acontece com a gente na infância vai determinar grande parte do que seremos quando adultos. Nosso emocional e principalmente a maneira com que nos relacionamos com outras pessoas estão bastante ligados à forma como vivemos quando éramos crianças. Da mesma forma, nossos filhos assimilam, enquanto são pequenos, quase tudo o que vai determinar como eles vão reagir a muitas situações depois que crescerem, principalmente as adversidades e frustrações".[2]

Esse fato, largamente constatado em pesquisas, merece nossa atenção, e não apenas por causa das percepções laboratoriais da psicologia, mas principalmente pelo que a sabedoria bíblica nos comunica.

TIPOS DISTINTOS DE MEMÓRIAS

Ao falar desse tão importante investimento na memória dos filhos, entendemos ser necessário — e prático — ressaltar as áreas distintas em que isso precisa acontecer. Há filhos que carregam fortes lembranças de *presentes,* mas não da *presença* de um dos pais (ou ambos). Há aqueles que possuem fortes recordações de passeios, mas não de bons exemplos paternos. Precisamos pensar no quadro integral. Todos os distintos tipos de memórias devem ser cultivados de forma conjunta. As diferentes perspectivas devem ser vistas como complementares, não concorrentes.

---

[2] Disponível em: <https://paisefilhos.uol.com.br/familia/5-feridas-da-infancia-que-continuam-a--nos-machucar-na-fase-adulta/> . Acesso em: 7 fev. 2021.

Você já revisitou algum lugar que parece ter diminuído ao longo dos anos?

Isso já aconteceu comigo, ao voltar a um dos colégios em que estudei. Agora, o corredor parecia bem menor do que nas minhas recordações; sei que esse não foi um sentimento exclusivo meu, pois tenho certeza de já ter escutado a mesma fala da boca de meus pais.

Penso que, quanto menor somos, maiores parecem os eventos ao nosso redor. Quem sabe, Deus permitiu assim para que tanto o impacto dos pais sobre os filhos como as lições de vida se potencializem e ganhem força.

Da mesma forma que a criança contempla o corredor, ela contempla um caráter revelado em palavras e ações. Ainda que, no momento, esteja desprovida das comparações necessárias para discernir medidas com a clareza que terá no futuro.

O que pode parecer um "escorregão pequeno" para um adulto, pode afetar profundamente uma cosmovisão em desenvolvimento nos pequeninos. E a boa notícia é que o bom exemplo, o encorajamento e o esforço também serão lembrados com tamanha grandeza.

Ao refletir sobre as atitudes dos meus pais, durante toda a minha vida, vejo que a disposição dos dois de se "encolherem" até o meu nível de compreensão foi uma das coisas que mais me ajudaram a permanecer firme em Deus.

Não acredito que a obediência deva acontecer só quando se tem entendimento de por que fazer ou deixar de fazer algo. Mas, com certeza, compreender o motivo ajuda. Fui extremamente abençoada pelos momentos em que meus pais paravam, me escutavam e explicavam o que a Bíblia fala sobre determinado assunto.

Minha mãe sempre lembrava que a nossa família fazia diferente porque todos nós amávamos a Deus e que toda ação tem uma consequência implícita. Então, depois de tanto tempo investido na comunicação, minhas decisões normalmente não passavam apenas pelo filtro da razão, mas estavam alicerçadas em um coração que tinha uma certeza: eu pertenço ao Senhor.

Às vezes, meus pais simplesmente me diziam: Sabemos que agora você deve estar frustrada por não entender o que estamos pedindo, mas, mesmo assim, não vamos mudar nossa instrução. Um dia tudo isso fará sentido. Penso que a razão pela qual eu conseguia dar o meu voto de confiança a eles era porque aquilo que era falado em casa sempre era vivido e praticado por eles. Não havia dúvida em mim: se eu desobedecesse, iria me dar muito mal.

Queremos destacar três tipos específicos de memórias que constatamos terem sido importantes na criação dos nossos filhos:

— a conduta dos pais;

— a presença paterna;

— as atividades conjuntas.

A conduta dos pais

Como mencionamos no exemplo da parábola do filho pródigo, se a lembrança que aquele rapaz tivesse do pai fosse de uma conduta recorrente de dureza, de falta de compaixão, de inacessibilidade, provavelmente ele não teria voltado para casa. É inegável a forma em que Cristo, mesmo empregando uma alegoria, mas não necessariamente fatos, utiliza-se do realismo prático do cotidiano dos seus ouvintes.

Percebemos em nossa experiência pastoral que tanto filhos como cônjuges que carregam fortes memórias de boa conduta dos familiares, com os quais se decepcionaram ou dos quais se afastaram em algum momento, estão entre aqueles que têm as maiores chances de conserto e reconciliação. No entanto, que ninguém limite as lembranças da boa conduta somente a um aspecto favorável para uma possível história de reconciliação. Principalmente quando falamos de filhos pequenos, em desenvolvimento, o impacto de uma conduta — exemplar ou não — é imensurável.

Já tratamos do impacto do exemplo dos pais nos filhos no capítulo 8 e não queremos ser repetitivos aqui. O ponto a ser destacado é que o exemplo não exercerá influência apenas no momento em que a atitude dos pais se deu.

A *lembrança* desses exemplos — quer de coerência, quer de contradição aos ensinos paternos — perdurará e seguirá influenciando, conscientemente ou não, a vida dos filhos. Nossos filhos quiseram comentar um pouco da percepção deles sobre o assunto:

ISRAEL

Durante minha infância tivemos vários animais de estimação e, toda vez que um novo bichinho aparecia, a história sempre se repetia: as responsabilidades de cuidado e limpeza acabavam, em algum momento, sendo transferidas para os pais, especialmente minha mãe. Eu e minha irmã falhávamos em cuidar dos nossos bichinhos depois da rotina da chegada deles ter se estabelecido, apesar de termos anteriormente concordado com nossos pais que era uma condição para os animais de estimação que teríamos. Esse fato recorrente, somado ao fato de termos mudado para um apartamento (sem quintal), fez com que meu pai determinasse que nós não teríamos mais mascotes.

O decreto foi bem-aceito por um tempo, até que minha irmã mais nova começou a sonhar em ter uma cachorrinha. A conversa logo veio à tona, mas todos nós sabíamos que não tínhamos mais esse direito. Quando minha mãe sugeriu que morássemos num apartamento, isso foi estabelecido como condição. Minha irmã lançava algumas indiretas e, à princípio, não insistia muito, porque sabia que, quando papai dizia algo, seria assim. Depois foi ficando mais descarada, insistente e alegava até estar orando por aquilo. Meu pai ria e garantia a ela que não havia a menor possibilidade de aquilo acontecer. Minha mãe se unia a ela e pedia por "misericórdia" mesmo ciente do acordo prévio. Lembro que meu pai, certo dia, me chamou para uma conversa e perguntou o que eu achava de aquilo tudo. Eu respondi que estava dividido. Expliquei que minha cabeça estava alinhada com ele, que eu entendia o acordo feito e achava que ele tinha razão, mas também disse que meu coração estava com elas, que sentia não apenas dó da minha irmã e mãe, mas também o desejo de agradar-lhes. Concluí admitindo que se estivesse no lugar dele eu não saberia o que fazer.

No aniversário da Lissa, meu pai preparou uma surpresa para minha irmã e me disse que seria inesquecível. Eu sabia que era algum presente bom, especial, mas não fazia ideia do que seria. Para minha surpresa, quando meus pais revelaram o presente, eles entregaram uma cachorrinha para minha irmã, que vibrou intensamente.

Naquele dia meu pai disse que o presente podia ser da minha irmã, mas a lição que ele queria transmitir era para mim. Ele disse que um dia eu seria um chefe de família e que ele, embora quisesse me ensinar a importância de honrar os acordos feitos, não queria ser um exemplo de intransigência. Ensinou-me que há momentos em que, mesmo tendo a razão, não custa tão caro abrir mão, sacrificar, sem que se comprometam valores e princípios. Naquele dia aprendi muito sobre o que significa ser um homem, um pai de família. Eu sabia o quanto ele estava sacrificando e, de fato, aquilo foi muito especial para minha irmã, que amou muito aquela cachorrinha nos anos em que conviveu conosco. Para mim o marcante foi o ensino prático, o exemplo, a memória que eu carregaria pela vida e que ainda produzirão efeitos, dessa vez na minha própria família.

LUCIANO

O interessante sobre esse episódio da cachorrinha — e muitos outros na história de nossa família — é o auxílio do Espírito Santo. Eu havia conversado com a Kelly, várias vezes, antes da mudança para o apartamento, se ela estava ciente de que sua decisão não permitiria que as crianças tivessem um cachorro. Avisei repetidamente que não se tomasse nenhuma decisão emocional porque, depois, eu não voltaria atrás. Portanto, eu estava seguro de estar fazendo a coisa certa.

Um dia, a Lissa me disse que estava orando para Deus tocar em meu coração de modo que eu cedesse, e eu, rindo, disse a ela: "Então veremos qual oração irá ganhar, se a sua ou a minha". Um dos versículos que meus filhos mais me ouviram falar, enquanto cresciam, foi: "[...] aquele que jura e cumpre o que prometeu, mesmo com prejuízo próprio [...]" (Salmos 15.4). Uma vez dito, está dito. Não se deve retroceder e ponto final.

Entretanto, certo dia, enquanto eu orava, o Espírito Santo trouxe um forte e nítido questionamento em meu íntimo: "É razoável essa sua intransigência acerca da cachorrinha?". Respondi, de pronto, que estava sendo bíblico ao sustentar o acordo firmado e tentando dar um bom exemplo aos meus filhos. Contudo, a réplica veio de imediato e compreendi que meu erro não era sobre sustentar o acordo, isto é algo louvável. Contudo, percebi que eu havia aproveitado daquela conhecida importância do acordo, antes mesmo de fazê-lo, por ser o único na casa que não se importa em ter os animais. Eu tinha privilegiado a mim mesmo através de um acordo impositivo; concluí que fui egoísta em vez de um líder servil, que se sacrifica em prol da família. E ali, naquele momento de oração, fui dirigido pelo Senhor a ensinar o Israel, como futuro chefe de família, a entender que há momentos em que devemos rever algumas decisões. A lição não seria sobre ceder às pressões para agradar aos outros; seria sobre ser homem o suficiente para admitir que eu havia sido o primeiro a errar.

Por isso, enquanto entregava o presente da Lissa, dirigi-me ao Israel e disse-lhe que o presente era dela, mas a lição do momento era para ele. Orientei-o a pensar nisto quando fosse adulto e estabelecesse sua própria família. Posteriormente, constatei que, entre tantas lembranças que meus filhos carregavam sobre não voltar atrás no que se fala, plantar uma memória específica sobre não permitir uma intransigência irracional produziu mais efeito do que eu imaginava.

LISSA

De fato, receber a tão desejada cachorrinha significou muito para mim, não apenas no dia do meu aniversário. Eu sabia que tê-la dentro de casa significava uma renúncia constante para o meu pai. Então, aquele gesto acabou se transformando em múltiplas declarações amorosas, como uma espécie de ramificação.

Muitas vezes, quando ela simplesmente estava por perto, latia ou fazia bagunça em alguma parte de casa (o que nós tentávamos resolver o mais rápido possível, de preferência fora da vista do meu pai), o registro em minha mente era reforçado: *Meu pai me ama a ponto de preferir os meus interesses.*

E então, além da obrigação, que é importante, meu coração se enchia de **motivação** para obedecer. Eu queria que meu pai se sentisse tão amado pelas minhas ações quanto eu me sentia amada pelas dele.

Sou grata a Deus porque esse sentimento estava bem enraizado em mim nos momentos em que eu era convidada a fazer coisas que não agradariam os meus pais, por "amigas", ou quando, algum menino se interessava por mim antes do tempo de despertar o amor romântico e, embora de uma forma diferente, eu já estava suprida emocionalmente.

Diferente do que enxergo na vida do meu irmão, por exemplo, o meu temperamento poderia ser considerado o mais impulsivo; mas, pela graça de Deus, eu estava "programada" para encarar a maior parte dos eventos que me surpreendiam e implicavam em uma reação rápida. Valeu família, vocês arrasam!

É natural copiarmos o que vemos, por isso o comportamento dos pais molda tanto o dos filhos. E, se os padrões de comportamento normalmente se reproduzem a cada geração, a liberdade dos seus filhos, em relação aos erros hereditários, está fortemente relacionada a liberdade que você mesmo encontra no Senhor.

Após a queda da humanidade, através dos séculos, disfunções familiares tem sido semeadas às próximas gerações. Mas algo lindo acontece quando um indivíduo recebe a paternidade do próprio Deus: à semelhança de Jesus, ele pode finalmente dizer: "Nada faço por mim mesmo; mas falo como o Pai me ensinou. E aquele que me enviou está comigo, não me deixou só, porque eu faço sempre o que lhe agrada" (João 8.28,29).

Consequentemente, os filhos recebem isso como herança. E, o que lhes falta, ainda no processo de transformação à estatura de Cristo, é preenchido quando os filhos são instruídos a também buscar a paternidade de Deus.

Não sei como os antepassados do meu pai eram, em relação a intransigência, mas olho para a vida dele e a de meu irmão e isso me deixa animada e esperançosa ao pensar nas gerações que virão.

A antiga expressão popular, atribuída a Confúcio, filósofo chinês, de que "uma imagem vale mais do que mil palavras" pode, com ou sem exatidão na conta matemática, ser muito verdadeira quando se fala da conduta paterna que permanecerá armazenada na recordação dos filhos.

A presença dos pais

Embora, ao destacar a *presença* paterna, quando falamos de memórias, possa se confundir com a *conduta* dos pais, enfatizamos que são aspectos distintos. Pais ausentes ainda podem dar exemplos ou deixar uma lacuna com a falta deles. Quando lembramos de nossos pais, geralmente há recordações distintas entre conduta — que se define por aquilo que eles faziam —, e a presença — cujas memórias são emocionais, ligadas ao sentimento de amor e à segurança produzida pela proximidade. O primeiro tipo de lembranças tem a ver com ações; já o segundo tem a ver com intimidade, companheirismo.

Exemplificando, determinado filho pode ter crescido com a imagem de um pai atlético, que praticava esportes sozinho, enquanto o filho de outro pai (que não era um atleta dedicado) pode ter crescido com a recordação dos esportes que praticaram juntos. Nesse caso, o primeiro filho tem uma conduta de exercício físico a ser imitada; entretanto, pode vir a repetir o comportamento do pai e manter seu filho como mero espectador de suas atividades físicas. Já o segundo filho, marcado pela presença paterna das práticas inclusivas, carrega a lembrança da participação e da comunhão com seu pai.

Compreender isso foi muito proveitoso em nossa missão de criar os filhos. Permita-nos apresentar isso em diferentes perspectivas familiares:

> **LUCIANO**
>
> Em 2002, antes de o Israel completar 5 anos de idade, e a Lissa 2, o Espírito Santo me orientou a uma mudança ministerial. Depois de nove anos dedicando-me ao ministério pastoral, viajando pouco, agora eu entraria numa nova fase que seria marcada, além da continuidade do pastorado, pela implantação de igrejas e também por viagens semanais, regulares. Desde então, passei a viajar, em média, três dias por semana. Isso demandou de nós, como família, novos ajustes e estratégias para

não comprometermos os fundamentos daquilo que acreditávamos ser essencial na criação de nossos filhos, em especial a questão de ser presente na vida deles.

Portanto, com a intenção de evitar uma ausência danosa, comecei a levar a família comigo em várias viagens de fins de semana. Uma semana por mês eu viajava de sexta a domingo e nas demais de quinta a sábado. Como a Kelly trabalhava como orientadora pedagógica nas escolas em que meus filhos também estudavam, conseguimos, durante um tempo, driblar a questão das faltas na escola, até porque a própria mãe garantia a eles a reposição do conteúdo escolar. Entretanto, depois de uns dois anos, constatamos que isso não poderia prosseguir sem afetá-los na questão dos estudos e também da importância de uma rotina. Passamos, então, a viajar juntos uma vez por mês e, sempre que eu viajava de carro, a uma distância de até quatro horas de viagem, fazia questão de voltar na mesma noite e dormir em casa.

Certa ocasião, fui pregar em um evento, em uma cidade praiana e na volta reuni a família para contar os detalhes da viagem — prática que mantivemos por muitos anos; isso envolvia compartilhar tanto o que Deus havia feito nas reuniões como também as pessoas e os lugares que conheci. Enquanto eu falava sobre a viagem, o Israel, perto dos 7 anos, fez uma sugestão: "Pai, quando você for convidado para pregar nestas cidades legais, que tem praia, marque isso nas nossas férias escolares para que a gente possa ir junto". No instante em que o ouvi percebi que se tratava mais do que uma boa ideia; senti no meu espírito uma convicção do Espírito Santo que isso deveria passar a acontecer de forma intencional. Então, daí por diante, comecei a organizar melhor a relação entre os convites que eu recebia e a agenda do restante da família. Dessa forma, percebemos que tanto poderíamos servir às igrejas como também garantir que o tempo em família não fosse negligenciado.

Cada família tem um contexto distinto e pode ter direcionamentos diferentes. Tenho amigos que foram orientados a nunca pregarem nas suas viagens de férias e acredito que cada um deva ser fiel ao seu direcionamento, valores e acordos de família. Mas, em se tratando da minha família, todos amamos viajar. Quando a Kelly e eu ainda estávamos conversando e orando sobre nosso possível relacionamento, questionei-lhe se ela gostava de viajar. Ainda recordo a resposta: "Eu já nasci com uma mochilinha nas costas. Amo viajar e conhecer lugares diferentes". Expliquei para ela a diferença entre passear e viajar ministerialmente e a adverti que se ela não gostasse das viagens eu não seria o cônjuge ideal para ela, pois tinha certeza de que o meu chamado envolvia viajar grande parte da minha vida. Garanti a ela que eu não poderia prometer-lhe uma vida normal, como a maioria das famílias, mas prometi também que não nos faltariam aventuras. O tempo mostrou que eu não estava errado nas minhas convicções; já cheguei a, em um mesmo ano, realizar eventos em todos os estados do Brasil. No momento em que escrevemos, a lista dos países em que já estive (escrita, mantida e atualizada por curiosidade dos meus filhos) passa de 50. Essa foi a razão de buscarmos juntos, como casal, e depois com os filhos, o que seria melhor para todos nós.

Descobri, enquanto levava meus filhos nas viagens ministeriais, que além de ter mais tempo com eles eu também poderia ensiná-los, de forma prática, sobre o ministério e as verdades do Reino de Deus. Em alguns lugares nos hospedavam em casas como a nossa; em outros lugares era necessário sacrificar o conforto de sempre; contudo, de vez em quando, éramos tratados com um padrão muito superior ao que tínhamos. Isso nos ajudou a ensiná-los a saber portar-se em todo tipo de ambiente, a tratar a todos com igualdade e também a demonstrar que minha empolgação com a pregação da Palavra de Deus não dependia do tamanho do auditório ou da forma como éramos tratados; eu aproveitava para instruí-los: "tudo que fazemos é para o Senhor e deve ser feito da melhor forma possível". E percebi que, tanto pela vivência como pela orientação, nossos filhos amavam ser parte do que Deus fazia; as conversões, as curas, o quebrantamento e o mover do Espírito os marcaram. Pudemos discipulá-los, de modo bem prático, para aquilo que *tínhamos certeza* ser também o chamado divino para a vida deles.

Hoje em dia, ao fazermos juntos o balanço das viagens, percebemos que elas deixaram memórias fortes, marcantes, em todos nós. Não apenas dos lugares que visitamos e do povo amável que nos recebia, nem somente das lições preciosas que foram absorvidas, mas também, e principalmente, do tempo que tivemos juntos e de como desfrutamos de momentos especiais. Ainda me emociono com a lembrança das experiências com Deus, das conversas, das brincadeiras e risadas que nunca economizamos, de momentos e atividades de diversão, dos incômodos (com circunstâncias inesperadas e uns com os outros), das aventuras de todo gênero. Com a gratidão ao Senhor pela constatação de tais resultados que, sem a graça e a sabedoria divinas não teriam sido experimentadas, posso garantir: valeu a pena!

KELLY

Quando engravidei do Israel, eu estava lecionando. Decidi encerrar o trabalho um pouco antes do parto, por tempo indeterminado, para cuidar do bebê. Foi muito bom estar em casa sem data de retorno, da licença maternidade, estabelecida. À medida que os meses passavam, comecei a sentir falta do trabalho, de um ambiente diferente, de conversa de gente grande, de fazer coisas diferentes. Nessa mesma época, recebi uma proposta de trabalho para exercer a coordenação pedagógica em uma escola particular de educação infantil.

Estava considerando a oferta e pedi conselho a uma senhora que frequentava a nossa igreja, que eu admirava pela dedicação à sua família. Ela questionou a razão de eu estar considerando voltar a trabalhar, uma vez que estava com um bebê em casa. Expliquei parte da razão que me impulsionava. Disse que o salário me permitiria comprar coisas para o meu filho que eu gostaria muito que ele tivesse. De fato, poder ajudar no orçamento familiar seria útil. Ela perguntou em quais coisas eu investiria. Lembro-me de dizer que, se eu voltasse ao trabalho, poderia comprar as roupinhas da marca *x*, os sapatinhos da marca *z*, os brinquedos pedagógicos de uma marca internacional que eu considerava sensacional. Eram todos brinquedos caros. Disse ainda que queria que meu filho pudesse ter essas coisas bonitas e boas. A resposta que aquela senhora deu foi muito marcante. Ela me disse que as roupinhas e os sapatos que o meu bebê usariam não fariam diferença alguma no tipo de adulto em que ele se tornaria, nem a marca dos brinquedos. Mas o fato de eu *estar presente* na vida dele certamente faria toda a diferença no que ele se tornaria quando crescesse.

Naquele dia, pude rever o que era mais importante. Recordo-me de rever quais eram as outras razões que me faziam considerar aquela proposta. Além da questão financeira, o trabalho me parecia uma boa forma de fugir, parte do meu dia, daquela nova rotina que se mostrou tão exaustiva.

Educar, cuidar dos filhos, não é um trabalho que tem recompensa imediata. Trabalhando fora eu recebia meu salário, uma vez ao mês, a bonificação de todo esforço. Trabalhar em casa, com dedicação à família não é igual. Entretanto, a recompensa virá, mais cedo ou mais tarde.

ISRAEL

Minha mãe também me marcou profundamente em diversos episódios. Era muito fácil aprender com ela, simplesmente por observar. Nunca me esqueço de um dia, quando ainda muito novo, corri para a cozinha, onde minha mãe estava cheia de atividades, administrando várias panelas no fogão e dando atenção à minha irmã, ainda bebezinha. Hoje consigo entender o quanto ela estava cheia de coisas para fazer e provavelmente sentindo-se sobrecarregada naquele momento, mas ainda assim eu me aproximei pedindo colo. Ela teria ótimos motivos para me dizer que estava ocupada, mas eu me lembro de vê-la parar tudo para me dar o carinho e a atenção que eu estava buscando. Eu logo voltei a brincar, mas até hoje carrego a lembrança daquilo e constato, dentro de mim, a convicção de que minha mãe nunca estava ocupada demais para mim. Agora, adulto, eu entendo como a rotina dela era pesada; entretanto, ela sempre arrumava tempo para me levar a andar de *skate* (e ainda ficava na torcida), levar minha irmã às aulas de música e todo o resto. Recordo-me de ouvir dela a frase "estou cheia de coisas pra fazer"; contudo, nunca reclamava, nunca fazia daquilo uma desculpa para não arrumar tempo para os filhos. Esse mesmo coração era visível também a suas amigas e discípulas, mas, inquestionavelmente, primeiramente para conosco.

Também carrego a lembrança de, várias vezes, deparar-me com minha mãe em seu tempo de devocional, com os olhinhos inchados de chorar na presença de Deus, ou de escutá-la cantarolando pela casa. Essa paixão sempre me influenciou; sei que foi o mesmo com a minha irmã. Sempre amei desabafar e abrir o coração com minha mãe e, apesar da sua imensa doçura, eu amo o modo em que ela sempre soube ser firme conosco. Eu acabei dando um pouquinho de trabalho com algumas matérias na escola, e ela como uma boa pedagoga, me dava os puxões de orelhas necessários, mas, além disso, ela sentava comigo e me ajudava a estudar. Algumas vezes, mamãe precisava se atualizar em relação às matérias, por isso buscava vídeos no *YouTube*, nunca me deixava na mão. Eu sinto que devo muito do que foi formado no meu caráter à minha mãe; ela não só me corrigiu e ensinou o caminho correto, mas me encorajou muito. Encorajou-me na diversão do *skate*, na dedicação à música e também a não desistir do meu canal no *YouTube* — que hoje abençoa tanta gente. Ela sempre acreditou em mim, fazendo-me sentir talentoso e criativo; eu sempre soube que ela era e é minha fã. Eu não sei nem como agradecer.

LISSA

Dos seis aos quinze anos de idade, tive o privilégio de estudar em uma escola de música estadual. Durante esses nove anos, a minha mãe foi minha motorista e companheira. Recordo que ela não usava os períodos de locomoção estressada com o trânsito, ou com as outras coisas que poderia estar fazendo no lugar, mas transformava aquelas horas em nosso "tempo de qualidade", porque senso de propósito faz parte de quem ela é, faz parte de quem ela escolheu ser.

Mesmo quando eu entrava na sala de aula, no tempo de espera que muitos considerariam inútil, ela abençoava a vida de outras mães com conselhos, conversas e esperança [coisa que elas mesmas relatavam], tricotava cachecóis para nossa família e resolvia questões racionadas ao seu trabalho.

Nas idas e vindas aproveitávamos para colocar o assunto em dia, cantar nossas músicas preferidas com o *playback* tocando no carro e, quando íamos de ônibus, por exemplo, comentávamos sobre o que chamava a nossa atenção nas ruas e lojas ao longo do caminho.

Em outros dias, apenas ficávamos em silêncio, ou enfrentávamos alguma notícia ruim juntas. Isso elevou a qualidade do nosso relacionamento. Aos poucos, tudo foi crescendo: a maturidade, a honestidade, a profundidade das nossas conversas e a confiança entre nós.

Hoje em dia, vejo que muitos almejam a praticidade a ponto de comprometer aspectos importantes da vida, como a interação social e as responsabilidades, em detrimento dela. Então, reflito sobre a conduta da minha mãe.

Pensar em como ela entendia e valorizava o tempo me ensina que é possível encarar as tarefas rotineiras através das lentes do propósito maior. Tão importante quanto o *que* nós fazemos, é *como* fazemos.

Não permita que o trabalho que habilita você a colocar *comida na mesa*, por exemplo, consuma você a ponto de prejudicar a sua capacidade de estar à mesa e aproveitar sua família.

Não me refiro ao cansaço físico ou mental inevitável, mas à falta de inteligência emocional que faz com que muitas pessoas não separem os momentos ou definam limites. Peça a Deus que ele amplie o seu vigor e visão para o ordinário e ele será extraordinário, na dimensão espiritual.

Estar presente fisicamente nem sempre significa "marcar presença" e vice-versa. O meu pai viajava muito por causa do chamado que Deus o confiou, mas fazia questão de ligar e perguntar, com interesse verdadeiro, como as coisas iam e priorizar, em meio à rotina, a nossa família.

Todas as pessoas ao seu redor serão abençoadas por sua habilidade de valorizar a vida, na simplicidade do dia a dia. Definitivamente, essa é uma das qualidades dos meus pais que espero reproduzir em minha vida.

Lembranças de atividades

Nossos filhos carregam, em suas memórias, não apenas as lembranças de nossa conduta e presença, mas também as recordações de atividades que exercemos juntos. Jogos, viagens, passeios, cultos, etc., permeiam as imagens que estão gravadas na mente deles (e também das nossas).

As atividades, além do caráter de diversão e entretenimento, também podem envolver questões que fortaleçam a responsabilidade dos filhos, como uma faxina conjunta na casa ou lavar o carro. Mais importante do que aquilo que se faz é o *porque* se faz. O motivo tem mais a ver com o tempo junto e as lições a serem comunicadas do que com as tarefas em si.

BREVIDADE DA VIDA

A Palavra de Deus enfatiza a brevidade da vida. A perspectiva de que a vida passa rapidamente é repetida com frequência nas Escrituras, o que significa dizer que esse fato não é apenas informação, mas adquire o status de ênfase. Embora seja fato que, a maioria de nós, quando jovens, temos dificuldade de mensurar quão veraz é essa declaração.

> "Pois todos os nossos dias se passam na tua ira; *acabam-se os nossos anos como um breve pensamento*. Os dias da nossa vida sobem a setenta anos ou, em havendo vigor, a oitenta; neste caso, o melhor, *porque tudo passa rapidamente*, e *nós voamos*" (Salmos 90.9,10).

As Escrituras resumem nossos anos a "um breve pensamento" e garantem que tudo "passa rapidamente, e nós voamos". Qual é a razão desse comunicado? Entendemos que, além de nos fazer focar no que é eterno e não só no que é passageiro, o Criador quer que gerenciemos bem a nossa maneira de viver. Temos ouvido muita gente que esperou chegar ao fim da vida para admitir a veracidade das declarações bíblicas com pesar, uma vez que não deram ouvidos aos conselhos divinos enquanto ainda tinham tempo de moldar a forma de viver.

A Bíblia compara a duração da nossa vida com a erva. O apóstolo Pedro fez menção de uma porção do livro de Isaías (1Pedro 1.24-25) que retrata isto: "Uma voz diz: "Proclame!" E alguém pergunta:

"Que hei de proclamar?" *Toda a humanidade é erva*, e toda a sua glória é como a flor do campo. *A erva seca e as flores caem*, soprando nelas o hálito do Senhor. Na verdade, o povo é erva. A erva seca e as flores caem, mas a palavra do nosso Deus permanece para sempre" (Isaías 40.6-8).

Tal comparação nos remete ao reconhecimento de que, assim como a erva, que num dia floresce no campo e em outro seca-se, assim também somos nós. A vida é efêmera, também comparada com a sombra: "O ser humano é como um sopro; os seus dias são como a sombra que passa" (Salmos 144.4). Portanto, munidos desse entendimento, devemos programar-nos para, da melhor forma possível, aproveitar bem a vida — quer construindo galardão diante de Deus para a eternidade, quer usufruindo, ao máximo, a realização que se pode ter nesta vida transitória.

Quando cada um dos nossos filhos nasceu, nós passamos a ouvir uma frase que, sinceramente, nos incomodava. Tanto quando o Israel era bebê como depois do nascimento da Lissa, três anos mais nova que ele, os pais de filhos mais velhos demonstravam uma imensa disposição de nos advertir: "aproveitem bem essa fase, porque passa depressa". O curioso é que não importa o quanto essa frase tenha nos aborrecido, naqueles primeiros anos de vida dos nossos filhos, ainda fazemos questão de repeti-la aos que adentram a paternidade. Por quê? Porque é uma declaração verdadeira!

Podemos afirmar que curtimos cada momento da vida dos nossos filhos. Mas, mesmo assim, eles cresceram, e a sensação é que tudo passou tão rápido... Agora que eles já alcançaram a fase adulta e saíram do ninho percebemos o quanto somos gratos por ter entendido e vivido o princípio de investir nas suas memórias.

INVESTIMENTOS DE LONGO PRAZO

Uma vez que a vida é breve, devemos investir naquilo que conta: a eternidade, o legado geracional e também as lembranças que os filhos carregarão e perpetuarão. Abordamos, na primeira seção do livro, tanto a importância da salvação como também da continuidade geracional da fé e do legado espiritual a serem perpetuados. Portanto, concluímos agora abordando a importância das memórias.

Não iniciamos nossa jornada de paternidade entendendo essas verdades; fomos descobrindo e compreendendo cada uma delas aos poucos. Hoje, reconhecemos que gostaríamos de ter entendido isso mais cedo e de modo mais profundo. A visão de investimento nas memórias dos filhos não deveria ser acidental; antes, deveria ser algo construído de modo intencional.

* * *

PERGUNTAS PARA REFLEXÃO

1. Você concorda que as que boas memórias não apenas proveem sustento em horas de aperto e pesar, como também nos dão senso de propósito?

2. Você concorda que as lembranças podem auxiliar os filhos a recordar os trilhos dos princípios aprendidos e vivenciados ao longo de sua formação?

3. José nos ensina a importância de uma reedição divina nas memórias. Isso aponta para o fato de que, mesmo investindo em boas lembranças, teremos que preparar os nossos filhos para lidar com a forma de recordar os momentos difíceis que possam passar. Como e quando você acha que poderia ensinar isso aos seus filhos?

4. Como você avalia a lembrança que seus filhos terão de sua *conduta*?

5. E quanto à sua *presença*? Seus filhos terão que tipo de recordação de você como pai ou mãe?

6. E as lembranças das atividades? Você tem planos de, intencionalmente, trabalhar isso com os seus filhos?

7. Vimos que um dos propósitos das Escrituras comunicarem a brevidade da vida é que "o Criador quer que gerenciemos bem a nossa maneira de viver". Como você avalia o uso do tempo com seus filhos?

13
A BÊNÇÃO DOS PAIS

Já destacamos que o Criador é a maior referência de paternidade. Ele se revela, em sua Palavra, como nosso Pai. Jesus repetidamente se referia a Deus como Pai em seus ensinos; encontramos mais de 180 menções nos Evangelhos. Ou seja, mais do que informação trata-se de *ênfase*. Além de enfatizar a paternidade divina, as Sagradas Escrituras nos apresentam Deus como o Pai perfeito: "— Portanto, sejam perfeitos como é *perfeito o Pai de vocês*, que está no céu"(Mateus 5.48).

A razão para tal destaque da perfeita paternidade divina é estabelecê-la como referência e modelo para a paternidade humana. Logo, é evidente que devemos ter a Deus como o perfeito modelo de pai. E um dos aspectos da paternidade de Deus, encontrada nas Escrituras, diz respeito à bênção.

O primeiro exemplo de bênção paterna é encontrado no próprio Criador. Adão foi denominado, nas Escrituras, como *filho* de Deus (Lucas 3.38). Depois de criar o primeiro homem que, antes da queda, ocupava a posição de filho, o Senhor o abençoou:

> "Assim *Deus criou o ser humano* à sua imagem, à imagem de Deus o criou; homem e mulher os criou. E *Deus os abençoou* e lhes disse: — *Sejam fecundos, multipliquem-se, encham a terra e sujeitem-na. Tenham domínio* sobre os peixes do mar, sobre as aves dos céus e sobre todo animal que rasteja pela terra"(Gênesis 1.27,28).

A bênção não era mera reversão de maldição, como se tratasse meramente da anulação de alguma coisa ruim. Tal conclusão se fundamenta no fato de que a bênção divina sobre o homem se deu antes da queda, quando o primeiro casal ainda não havia pecado. Portanto, a bênção deveria ser interpretada como um impulso espiritual (e também emocional), uma transmissão de capacitação para as realizações.

Uma vez que somos orientados, pelas Escrituras, a ser imitadores de Deus (Efésios 5.1), conclui-se que devemos, à semelhança do Pai celestial, abençoar nossos filhos. A bênção paterna é destacada na Bíblia, especialmente quando relata os patriarcas, como Isaque e Jacó, abençoando seus filhos. O aspecto profético, encontrado em tais bênçãos, aponta para mais do que um simples costume humano; a inspiração divina por trás das palavras proféticas assegura isso. Ou seja, o mesmo Criador que abençoa o filho terreno, obra de suas mãos, também move os pais terrenos a abençoarem seus próprios filhos. Trata-se de um princípio espiritual, não de um mero costume cultural.

Somos gratos porque vivenciamos esse princípio da bênção tanto na condição de filhos como posteriormente na condição de pais. Conhecemos os dois lados: ser abençoados por nossos pais e também nos tornarmos em pais abençoadores. Por outro lado, há aqueles que não tiveram o privilégio que nós tivemos. Se depender da amostragem daqueles que aconselhamos por mais de duas décadas, diria que um grande número de pessoas, senão a maioria, não vivenciou esses dois lados da bênção paterna — sem contar aqueles que não vivenciaram nenhum.

Por isso, mais do que tentar fazer questionar se alguém recebeu a bênção paterna como filho, nosso intento é encorajar os leitores a que, como pais (e futuros pais) mirem a prática desse princípio daqui para a frente. O foco é o futuro, não o passado. Dito isto, compartilhamos a seguir, de modo resumido, nossa experiência com a bênção dos nossos pais sobre nós.

LUCIANO

É inegável que meus pais sofreram quando, aos meus 18 anos de idade, passei a estar longe deles viajando frequentemente por causa do ministério itinerante. E também quando, alguns anos depois, mudei-me para outro estado, onde me casei e tive meus filhos.

Sei que eles prefeririam que eu tivesse permanecido por perto, mas entenderam que Deus tinha um plano para a minha vida (um alvo) e me atiraram em direção a esse plano. Há o tempo em que as flechas (filhos) ficam na aljava e há também o tempo em que devem ser atiradas para o alvo. E a bênção dos pais, quando essa hora chega, é essencial.

Quando propus o namoro com a Kelly, e adiantei-lhe a intenção do casamento, cada um de nós morava num estado diferente; eu no Paraná, e ela em São Paulo. Eu já estava pastoreando, e a Kelly estava entrando na universidade. Conversei seriamente com ela que a única forma de levarmos adiante nosso relacionamento seria com a mudança dela para o Paraná. Ele não só se mudou para o Paraná como também teve que mudar de faculdade e curso, apostando no nosso relacionamento e no chamado de Deus para nós no sul do país.

KELLY

Nessa fase difícil, de uma decisão importante a ser tomada, conversei com meus pais. Meu pai perguntou se era isto que eu queria e, ao saber que sim, afirmou que me amava e que, como queria o melhor para mim, ele me *abençoava*. Minha mãe sofreu com isso, pois sempre fomos muito ligadas. Ela não conseguiu ser racional como meu pai e era compreensível. Mas mamãe passou a orar a respeito do assunto e, naqueles dias de busca da vontade de Deus, teve um sonho (que compartilhamos no capítulo 4). Ela entendeu que o Senhor lhe mostrava que a filha estava diante de uma oportunidade única que, ainda que tudo parecesse acontecer de forma repentina e não planejada, Deus estava no controle e tudo iria ficar bem –, mesmo que eu estivesse sendo levada para longe dos meus pais. Então minha mãe entendeu o alvo e se dispôs a atirar a sua flecha; uniu-se ao marido e *abençoou* a minha partida.

Isso é uma reprodução moderna do que os pais de Rebeca fizeram. Quando o servo de Abraão, enviado a procurar uma esposa para Isaque, encontrou Rebeca e apresentou tanto a ela como à sua família, a proposta da união matrimonial (Gênesis 24.15-49), o que o relato bíblico informa ter ocorrido? Ouviram o que Rebeca desejava, concordaram que Deus estava naquilo e a abençoaram para que vivesse o melhor de Deus! Observe:

Disseram:

— Vamos chamar a moça para ver o que ela diz.

Chamaram, pois, Rebeca e lhe perguntaram:

— Você quer ir com este homem?

Ela respondeu:

— Sim, quero.

Então deixaram que Rebeca, a irmã deles, partisse, junto com a sua ama, com o servo de Abraão e os homens que estavam com ele. *Abençoaram Rebeca e lhe disseram*:

— Que você, nossa irmã, seja a mãe de milhares de milhares, e que a sua descendência tome posse das cidades dos seus inimigos.

Então Rebeca se levantou com as suas servas e, montando os camelos, seguiram o homem. O servo de Abraão tomou Rebeca e partiu. (Gênesis 24.57-61).

Podemos dizer, a título de reforçar o princípio, que o mesmo vale para os filhos espirituais. Há líderes que querem manter, para sempre, os ministérios que os auxiliam. Entretanto, não podemos ser egoístas; não podemos pensar somente em nós e naquilo que nos interessa. Devemos lançar nossos filhos para atingirem o alvo. E o mesmo se aplica no paralelo espiritual:

Havia na igreja de Antioquia profetas e mestres: Barnabé; Simeão, chamado Níger; Lúcio, de Cirene; Manaém, que tinha sido criado com Herodes, o tetrarca; e Saulo. Enquanto eles estavam adorando o Senhor e jejuando, o Espírito Santo disse:

— Separem-me, agora, Barnabé e Saulo para a obra a que os tenho chamado.

Então, jejuando e orando, e impondo as mãos sobre eles, *os despediram*. Barnabé e Saulo, *enviados pelo Espírito Santo*, foram até Selêucia e dali navegaram para Chipre (Atos 13.1-4).

A Bíblia diz que Barnabé e Saulo foram enviados *pelo* Espírito Santo. Este, por sua vez, além de comunicar seu projeto aos líderes da igreja em Antioquia, envolveu-os no processo para que a bênção fluísse também, por meio deles.

Quando chega o momento de alguém seguir o plano de Deus para a sua vida, precisamos ter a coragem de tomá-los como flechas e atirá-los em direção ao alvo do seu chamado em Deus. Não acreditamos que o propósito divino seja sempre o de se ter uma equipe ministerial onde todos envelheçam juntos. Alguém sempre será enviado a realizar algo mais. Faz parte da dinâmica do Reino de Deus. As flechas não existem para permanecerem sempre na aljava. Ficam ali só até que chega a hora de serem lançadas. Assim também é com os filhos.

EXEMPLOS BÍBLICOS

A concepção do projeto divino para as famílias começa a ficar mais evidente a partir de Abraão, a quem o Altíssimo prometeu: "— Em você serão benditas todas as famílias da terra" (Gênesis 12.3). Não se tratava de uma promessa pessoal, e sim de um indicativo do plano da Deidade para a humanidade. A prova disso encontra-se no Novo Testamento. Referindo-se a esse episódio, Paulo esclareceu, na carta aos gálatas, que, "tendo a Escritura previsto que Deus justificaria os gentios pela fé, preanunciou o evangelho a Abraão" (Gálatas 3.8). Isso apontava para a inclusão dos gentios, uma vez que cada povo se originou de uma família, mas também evidenciava o projeto familiar e de continuidade geracional do qual Deus se utilizaria.

Não há registro bíblico de uma bênção específica que Abraão tenha dado a Isaque. Embora todo o cuidado percebido no envio do seu servo para buscar, entre seus familiares, uma esposa para o filho, ateste a preocupação do patriarca com a continuidade do plano divino dentro de parâmetros bem definidos. Contudo, constata-se, a partir da segunda geração dos patriarcas, que a prática de abençoar os filhos se não foi *iniciada* foi, no mínimo, *continuada*.

A história da bênção de Isaque sobre Jacó e Esaú ocupa quase um capítulo inteiro (Gênesis 27.1-40), mas, para ser entendida plenamente, requer uma análise mais abrangente. Normalmente focamos apenas no fato de que Jacó enganou Esaú em uma negociata e posteriormente, em conluio com a mãe, ludibriou o próprio pai. Entretanto há algo mais que precisamos atentar se queremos entender tanto a importância como a natureza dessa bênção paternal. Portanto, comecemos do início:

> Isaque orou ao Senhor por sua mulher, porque ela era estéril. O Senhor ouviu as orações dele, e Rebeca, a mulher de Isaque, ficou grávida. Os filhos lutavam no ventre dela. Então ela disse: "Por que isso está acontecendo comigo?" E ela foi consultar o Senhor. E o Senhor lhe respondeu: "Duas nações estão no seu ventre, dois povos, nascidos de você, se dividirão: um povo será mais forte do que o outro, e o mais velho servirá o mais moço". (Gênesis 25.21-23)

Evidentemente naqueles dias não havia ecografia e os demais exames que nos permitem saber a quantidade de filhos ou o sexo das crianças que estão sendo gestadas. Rebeca só teve essa informação antecipada por revelação divina. Ela consultou o Senhor e foi ele quem comunicou esses fatos. E vale ressaltar que, ao comunicar isso, Deus não provia mera informação; tratava-se da revelação do seu propósito para aqueles filhos.

No entanto, os pais, em vez de se alinharem ao propósito divino, que comunicava que o filho mais novo seria exaltado em relação ao mais velho, desenvolveram preferências de acordo com as preferências e comportamentos dos filhos. "Cresceram os meninos. Esaú tornou-se perito caçador, homem do campo; Jacó, porém, era homem pacato e morava em tendas. Isaque amava Esaú, porque se saboreava de sua caça; Rebeca, porém, amava Jacó" (Gênesis 25.27,28).

Triste. O foco de cada um dos pais estava em dar mais valor ao filho que, além de habilidades similares a de cada progenitor proporcionava também companhia naquele tipo de tarefa. Já demonstramos que essas preferências proporcionam danos emocionais, mas há algo mais a ser considerado. Paulo orientou os crentes de Corinto que a igreja é o corpo de Cristo e que esse corpo é composto de membros diferentes, que executam funções distintas e complementares:

> Porque também o corpo não é um só membro, mas muitos. Se o pé disser: "Porque não sou mão, não sou do corpo", nem por isso deixa de ser

do corpo. Se o ouvido disser: "Porque não sou olho, não sou do corpo", nem por isso deixa de ser do corpo. Se todo o corpo fosse olho, onde estaria o ouvido? Se todo ele fosse ouvido, onde estaria o olfato? Mas Deus dispôs os membros, colocando cada um deles no corpo, como ele quis. Se todos, porém, fossem um só membro, onde estaria o corpo? O certo é que há muitos membros, mas um só corpo. (1Coríntios 12.14-20)

Esse fundamento do funcionamento do corpo deve ser não somente reconhecido, mas também aplicado:

Ora, vocês são o corpo de Cristo e, individualmente, membros desse corpo. A uns Deus estabeleceu na igreja, primeiramente, apóstolos; em segundo lugar, profetas; em terceiro lugar, mestres; depois, operadores de milagres; depois, os que têm dons de curar, ou de ajudar, ou de administrar, ou de falar em variedade de línguas. Será que são todos apóstolos? Será que são todos profetas? Será que são todos mestres? São todos operadores de milagres? Todos têm dons de curar? Todos falam em línguas? Todos têm o dom de interpretar essas línguas? (1Coríntios 12.27-30)

Nossos filhos, como membros desse corpo, também terão dons, habilidades e funções distintas. E a diversidade deve ser apreciada, não desprezada. Tampouco usada como elemento de comparação ou avaliação. Se os filhos são, como estabelecido desde o início do livro, *propriedade* do Senhor, então os pais deveriam criá-los para cumprirem o propósito divino, não para satisfazer gostos, caprichos e preferências pessoais. O apóstolo advertiu os coríntios que o dom de cada um foi determinado pelo Eterno: "Deus estabeleceu na igreja".

Logo, ignorar que diferentes dons e habilidades são comunicados pelo próprio Senhor não prejudica apenas a pessoa que avaliamos; é um ato de rebeldia ao Dono da igreja e de cada um de nós! Ao ensinar tais verdades, Paulo demonstrou que tanto evitaria o dano como garantiria o bom resultado que os céus planejaram: "para que não haja divisão no corpo, mas para que os membros cooperem, com igual cuidado, em favor uns dos outros" (1Coríntios 12.25). Na epístola de Gálatas o apóstolo destacou que o Senhor confiou tanto enfoques como públicos distintos a ele e a Pedro (Gálatas 2.7,8). E esclareceu a bela conclusão a que os líderes mais expressivos da igreja chegaram: "e, quando *reconheceram* a graça que me *foi* dada, Tiago,

Cefas e João, que eram reputados colunas, estenderam a mim e a Barnabé a mão direita da comunhão, a fim de que nós fôssemos para os gentios e eles fossem para a circuncisão" (Gálatas 2.9).

Quando pensamos no plano divino, que trabalha com as diferenças, entendemos que precisamos reconhecer a graça, o chamado, de cada um. Isso também se aplica aos filhos. Sem esse discernimento, em vez de cooperar com Deus, criaremos problemas.

Portanto, não podemos deduzir, ao destacar a importância da bênção paterna, que o destino dos filhos dependa unicamente dos seus pais, tampouco que caiba aos progenitores o poder de decisão ou definição de qual seja o propósito dos filhos. Isso deveria ser um trabalho em parceria com o próprio Deus, buscando sempre o alinhamento com ele, o elemento profético, a revelação da vontade divina.

Isaque queria transmitir a bênção que determinaria a continuidade do propósito divino ao filho que Deus não escolhera e que, por sua vez, nunca honrou aquilo. A Bíblia diz que "Esaú desprezou o seu direito de primogenitura" (Gênesis 25.34) ao vende-la a Jacó. Eles tinham algum poder para autenticar aquela negociação no reino espiritual? Claro que não! Entretanto, a atitude de Esaú o afastou do lugar da bênção divina (Hebreus 12.16-17). Outras atitudes de Esaú também desonraram seus pais, como a escolha de casar-se com mulheres cananeias que "se tornaram amargura de espírito para Isaque e para Rebeca" (Gênesis 26.35).

Obviamente não estamos advogando a mentira da qual Rebeca e Jacó se tornaram cúmplices, embora o anseio de Jacó pela bênção dos patriarcas indica, num certo sentido, uma expressão maior de honra e valorização para com as coisas de Deus do que se constata em Esaú. Contudo, pode-se dizer que o Altíssimo gerenciou uma situação repleta de falhas humanas para que seu propósito fosse comunicado por meio da bênção paterna.

Jacó cujo nome foi mudado para Israel, ao mudar-se para o Egito, abençoou não apenas os filhos, mas também os netos. E, ao agir assim, também demonstrou um alinhamento com o plano divino por meio da percepção profética:

> Quando Israel viu os filhos de José, perguntou:
>
> — Quem são estes?

José respondeu a seu pai:

— São meus filhos, que Deus me deu aqui.

Israel disse:

— Traga-os para perto de mim, para que eu os abençoe.

Os olhos de Israel já estavam fracos por causa da velhice, de modo que não podia ver bem. Por isso José levou os filhos para perto dele; e ele os beijou e os abraçou.

Então Israel disse a José:

— Eu não esperava ver o seu rosto outra vez; e eis que Deus me permitiu ver também os seus filhos.

E José, tirando-os dentre os joelhos de seu pai, se prostrou com o rosto em terra, diante dele. Depois José pegou os dois filhos e os colocou diante do pai. Pegou Efraim com a mão direita, para que ficasse à esquerda de Israel, e Manassés com a mão esquerda, para que ficasse à direita de Israel. Mas Israel estendeu a mão direita e a pôs sobre a cabeça de Efraim, que era o mais novo, e pôs a mão esquerda sobre a cabeça de Manassés, cruzando assim as mãos, mesmo sendo Manassés o primogênito. E Israel abençoou José, dizendo:

— *O Deus em cuja presença andaram meus pais* Abraão e Isaque, o *Deus que tem sido o meu pastor durante a minha vida até este dia*, o Anjo que me tem livrado de todo mal, *abençoe estes meninos!* Que por meio deles seja lembrado o meu nome e o nome de meus pais Abraão e Isaque! Que cresçam e se tornem uma multidão sobre a terra. (Gênesis 48.8-16).

Quando o patriarca cruzou as mãos, invertendo propositadamente a ordem que José havia tentado garantir (da mão direita ser colocada na cabeça do primogênito), a reação de indignação do filho foi imediata. Diante disso se fez necessário que Israel explicasse a natureza profética da bênção:

José viu que seu pai havia posto a mão direita sobre a cabeça de Efraim e isto não lhe agradou. Pegou a mão de seu pai para mudá-la da cabeça de Efraim para a cabeça de Manassés. E José disse ao pai:

— Não assim, meu pai, pois o primogênito é este; ponha a mão direita sobre a cabeça dele.

Mas seu pai recusou e disse:

— Eu sei, meu filho, eu sei. Ele também será um povo, também ele será grande. *Mas o seu irmão menor será maior do que ele*, e a sua descendência será uma multidão de nações.

Assim, *os abençoou naquele dia*, declarando:

— Por vocês Israel abençoará, dizendo: "Deus faça com você como fez com Efraim e com Manassés."

E assim Israel pôs Efraim antes de Manassés. (Gênesis 48.17-20).

Ou seja, não determinamos, por nós mesmos, aonde nossos filhos chegarão. Mas temos a responsabilidade de, entendendo o plano divino sob a liderança do Espírito Santo, pronunciar palavras não apenas de encorajamento emocional, mas também de impulso espiritual.

Sem entrar no mérito da confiabilidade do caráter de Labão, sogro de Jacó, podemos reconhecer que a base do seu protesto, ao perseguir e alcançar o neto de Abraão, foi afirmar que o patriarca havia fugido sem permitir a despedida que a ocasião exigia (Gênesis 31.27,28). Nós denominaríamos isso como o *envio*. Aliás, é interessante notar um detalhe importante nesse episódio da fuga de Israel:

"No terceiro dia, Labão foi avisado de que Jacó ia fugindo. Tomando, pois, consigo a seus irmãos, saiu-lhe no encalço, por sete dias de jornada, e o alcançou na montanha de Gileade. De noite, porém, *veio Deus a Labão, o arameu, em sonhos*, e lhe disse: Guarda-te, não fales a Jacó nem bem nem mal" (Gênesis 31.22-24).

O Senhor poderia ter livrado Jacó de ser alcançado pelo sogro, não poderia? Claro que sim. Como também poderia ter evitado seu encontro com Esaú. Mas um questionamento a ser feito é por que ele não fez isso. Entendemos que havia a necessidade de corrigir princípios quebrados para que, então, a bênção divina fluísse desimpedidamente. Portanto, ao contrário de impedir o encontro entre eles, parece-nos que o Eterno apenas certificou-se de que, ao encontrar seu genro, filhas e netos, Labão não lhes fizesse mal. Isso faz mais sentido quando percebemos o desfecho da história. A Escritura revela que, depois de um acerto entre eles — que culmina em uma aliança —, houve a conclusão necessária: "Tendo-se levantado Labão pela madrugada, beijou seus filhos e suas filhas *e os abençoou*; e, partindo, voltou para a sua casa" (Gênesis 31.55).

Assim como a bênção comunicada aos netos, a bênção de Jacó sobre seus filhos também foi registrada (Gênesis 49.1-28). O caráter profético parece ser o elemento comum dessas bênçãos registradas nas Escrituras. Observe o exemplo de Lameque que, no nascimento de Noé, escolheu um nome que refletisse o propósito divino para ele: "Lameque viveu cento e oitenta e dois anos e gerou um filho; *pôs-lhe o nome de Noé, dizendo*: Este nos consolará dos nossos trabalhos e das fadigas de nossas mãos, nesta terra que o SENHOR amaldiçoou" (Gênesis 5.28,29).

Não foi apenas a escolha de um nome. Foi uma declaração profética por meio do ato, uma bênção impetrada desde o nascimento daquele que seria responsável pelo recomeço da era pós-diluviana. Ninguém deveria ignorar a importância e o impacto da bênção sobre os filhos, quer quando ainda são crianças — determinando o curso que seguirão —, quer quando alcançam a maioridade — e são lançados para atingir o alvo.

Se a bênção não produzisse nenhum tipo de influência espiritual por que Jesus abençoaria as crianças (Marcos 10.13-16)? É certo que o ato tem elemento didático, inclusivo, bem como emocional, que envolve da aceitação ao encorajamento. Contudo, é inegável o aspecto espiritual e o impulso produzido por esse ato.

Não estamos afirmando que ninguém será usado por Deus ou que deixará de alcançar o alvo pela falta disso. Obviamente a graça divina superabunda onde houve faltas e falhas humanas. Jefté que o diga! Era um filho bastardo, resultado de prostituição, ignorado pelo pai e desprezado por seus irmãos. E ainda assim consta na galeria dos heróis da fé (Hebreus 11.32). Mas, se entendemos o princípio da bênção dos pais e podemos praticá-lo, porque escolheríamos ignorá-lo deliberadamente?

Decidimos não nos ater aos casos que, por misericórdia divina, essa falta foi suprida de alguma forma; até porque o nosso propósito não é mera análise do que já aconteceu, e sim o encorajamento ao que pode acontecer. Como já foi dito: "o foco é o futuro, não o passado".

LUCIANO

Comecei a trabalhar aos 15 anos de idade. Aos 18 anos, após dois anos trabalhando em um banco, eu me demiti e decidi que viveria para o ministério em tempo integral. O chamado divino ardia em meu coração, e eu sabia que precisava atendê-lo. Eu já estava pregando como ministro itinerante, e o ministério crescia rapidamente. Imaturo, sem entender muito dos princípios que viria a conhecer, me achava adulto e tomei decisões sem envolver os meus pais devidamente.

Vale destacar que papai era pastor; portanto, esperava que ele não somente me entendesse, como também me apoiasse, o que não aconteceu. Ele sempre foi o que denominamos bi vocacionado e somente depois da aposentadoria é que foi para o ministério tempo integral. Por uma orientação clara do Espírito Santo, decidi não ir à faculdade, tampouco ao seminário teológico — o que se esperava de qualquer pessoa que quisesse servir no ministério (destaco que nada tenho contra e que meus dois filhos, no momento em que escrevo, estão fazendo cursos teológicos).

A soma dessas duas decisões não convencionais, tomadas sem consulta aos meus pais, colocou-me em rota de colisão com eles, especialmente o meu pai. Investi todo o dinheiro da minha rescisão em literatura evangélica; a maior parte para revender e uma menor para estudar. Com a venda dos livros, eu seguia ajudando em casa, responsabilidade que foi ensinada a cada filho. Contudo, por não ter a carga horária de trabalho comum, eu gastava horas e horas diariamente em oração e estudo bíblico. Penso que esse foi um dos maiores investimentos que pude fazer em minha vida espiritual e ministerial.

Entretanto, aquilo aborrecia meu pai que, sem entender o motivo das minhas decisões, achava que eu estava me tornando no que ele mesmo rotulou como "um vagabundo espiritualizado". Certo dia, ele me disse que *exigia* que, se eu realmente quisesse viver o ministério, então que eu fosse para um seminário teológico e, depois dos quatro anos de curso, fosse pastorear uma igreja, recebendo salário. O conceito de um ministro itinerante, sem sustento fixo, era descabido para ele. Tentei explicar-lhe que, além da direção clara que eu tinha de Deus, eu era solteiro e nunca seria irresponsável com minha futura família; argumentei que, naquele momento, aquela era a direção que Deus havia me dado. Ainda assim, ele bateu o pé e, querendo me dar um ultimato, disse que, se eu quisesse morar debaixo do teto dele, deveria seguir suas regras; se, por outro lado, quisesse fazer minhas próprias escolhas, considerando-me adulto, que saísse de casa.

Chocado e sem entender questionei-lhe se ele era inflexível no posicionamento. Ele garantiu que sim. Respondi que minha decisão também era inflexível e, portanto, não estava em negociação. Papai, então, replicou que eu já sabia o que deveria fazer. Perguntei se aquilo geraria inimizade entre nós, e ele garantiu que não e externou que esperava que eu o visitasse com frequência, já que moraria na mesma cidade. Imediatamente fiz minha mala e saí de casa. Eu e outro amigo alugamos uma casinha de fundo, num bairro distante, e passei a visitá-los nos fins de semana. Fiquei triste com o ocorrido, mas tudo parecia bem.

Em algum momento, entre dois e três meses depois de estar morando fora de casa, tive uma experiência marcante com Deus. Isso me ajudou a entender a importância do que estamos tratando neste capítulo. Visitei meus pais numa sexta-feira à noite e, quando iria voltar para a "minha" casa, minha mãe, por já ser tarde e eu morar muito longe, numa região perigosa, insistiu que eu dormisse por lá e fosse embora na manhã seguinte. Acabamos todos consentindo que era a melhor coisa a ser feita.

Quando acordei, na manhã do sábado, percebi algo diferente acontecendo. Primeiro, sou daqueles que demoram a dormir e, depois, demoram a acordar. E não me refiro ao tempo de sono, mas à capacidade de despertar. De repente, abri meus olhos e estava completamente acordado, consciente. Na verdade, era mais do que isso, difícil até de explicar. Eu arriscaria tentar definir dizendo que me encontrava num estado de "consciência espiritual" profundo. Era como se alguém tivesse colocado uma caixa de som no meu quarto e transmitisse os barulhos que vinham da cozinha e da sala de jantar, onde minha mãe preparava o café da manhã enquanto meu pai falava. Eu ouvia tudo alto, do barulho das xícaras às vozes dos dois. Foi nessa hora que ouvi meu pai dizer à minha mãe algo mais ou menos nessas palavras:

— Eu passei ontem numa loja de automóveis usados e encontrei alguém disposto a trocar meu Opala Comodoro (só os mais velhos entenderão isso) em uma Brasília e um Fiat 147.

Minha mãe o questionou de pronto:

— Por que você pensaria em trocar um carro por dois se eu não dirijo (isso mudou depois, é claro)?

Meu pai respondeu:

— Eu andei pensando... Será que, se eu desse um carro para o Luciano, para ajudá-lo nas viagens de pregações, ele entenderia que eu nunca quis expulsá-lo de casa?

Essas foram as únicas palavras que eu ouvi e, de repente, alguém "desligou" o sistema de som e eu já não podia ouvi-los. Contudo, uma forte convicção do Espírito Santo surgiu dentro de mim naquele momento. Eu não ouvi uma voz falando comigo, mas eu *sabia*, com toda convicção do mundo, que meu pai *jamais* me diria aquilo. Ele não voltaria atrás na decisão dele e muito menos me pediria que reconsiderasse a minha. Aquela convicção interior era tão clara como se Deus estivesse gritando comigo: "Aproveite a chance porque seu pai não cederá mais do que isso!".

Levantei-me, fui para a cozinha onde eles estavam conversando alguma coisa que foi interrompida com a minha chegada. Os sons eram os mesmos que ouvi no quarto, mas agora em volume normal. Quando nos assentamos à mesa para tomar o café da manhã, tomei a dianteira:

— Pai, eu nunca quis desonrar nem desobedecer ao senhor. Eu deveria ter envolvido vocês antes de tomar as minhas decisões em vez de só comunicá-las. Fui imaturo. Mas, se tem algo que não me falta neste momento, é a certeza de que preciso agir desse modo. Jamais me imaginei saindo de casa como aconteceu; eu esperava sair para me casar ou, se fosse antes disso, por motivo de mudança de cidade, mas não como fiz. Eu entendo o senhor e sua preocupação comigo, mas quero pedir algo hoje. Da mesma forma como Daniel pediu ao capitão da guarda do rei da Babilônia que o provasse por dez dias dando-lhe apenas legumes e água, eu peço ao senhor que ponha à prova o que acredito ter sido orientação de Deus. Espere só até o final deste ano e se, nos meses restantes, o senhor reconhecer que me movo debaixo da direção do Espírito Santo nas decisões sobre o ministério, eu vou para o seminário e faço tudo o que me mandar. Ore com o coração aberto e, ao final do ano, o que o senhor decidir eu acatarei.

Ele admitiu que aquilo parecia razoável. Eu, de pronto, pedi permissão para voltar para casa e, um dia, sair de forma correta. Ele consentiu. Minha mãe não conseguia esconder a alegria. Fui para a "minha casa" buscar minhas coisas e, quando voltei, o Opala não estava mais lá e havia dois carros na garagem: uma Brasília e um Fiat 147. Naquela hora, entendi que não tinha sido apenas uma espécie de *sonho* ou uma visão; eu realmente tinha ouvido a conversa entre meus pais! Ou melhor, tinha ouvido um pedaço do diálogo deles, só a parte que eu precisava saber para rever minha decisão.

Naquela tarde, ele me deu o carro de presente, assunto que gerou queixa dos meus outros irmãos (eu sou o do meio). Papai se defendeu com o seguinte argumento:

— Não dei um carro de *presente* para um *filho. Ofertei* um recurso para o *ministério* dele; são coisas distintas.

A verdade é que Deus o havia dirigido a fazer aquilo. Nem sei o quanto ele entendeu, no momento, sobre a importância daquele ato. Mas mudou minha vida e meu ministério. Até aquele dia eu já experimentava a graça e a unção divinas se manifestando. Contudo, a partir daquele dia, elas fluíram como nunca antes!

Não se tratava de um carro sendo dado ou de uma simples volta para casa. A bênção paterna, sob a direção do Deus que poderia tê-la feito diretamente — mas escolheu fazê-lo através do meu pai —, impulsionou-me a um novo nível.

Entendemos, logo cedo, que deveríamos lançar nossos filhos não apenas como coerência ao que nossos pais fizeram conosco, mas para *honrar o Senhor* (a quem eles pertencem) mas também para a *realização deles*. Depois do relacionamento pessoal com Cristo, não há nada que traga tamanha satisfação como viver o propósito para o qual fomos planejados; andar na vontade divina é mais que satisfatório.

> **LUCIANO**
>
> Nosso filho casou-se bem jovem, mais novo do que aconselha-ríamos a maioria dos pais a permitirem que seus filhos se casem. Entretanto, havia todo um contexto por trás dessa decisão. O principal deles foi a direção do Senhor que se confirmou não somente no coração dele e de nossa nora como também no coração de todos os pais envolvidos. A bênção não foi dada por exigência da parte deles mas por discernimento da parte dos pais. E, graças a Deus, nunca nos arrependemos disto.

A bênção e o envio dos filhos, não importando se para perto ou para longe, é para o bem *deles*. Por isso, criamos nossos filhos cientes de que o tempo passaria depressa e chegaria o momento de projetá-los ao alvo. Alimentamos, ao longo de anos, a consciência de que o amor não é egoísta e que, quando chegasse a hora, nós os liberaríamos para viver o propósito divino para as suas vidas.

CUIDADO COM AS PALAVRAS

Embora destaquemos momentos importantes para abençoar os filhos, do nascimento ao envio, o cuidado com aquilo que falamos *a eles* e *a respeito* deles é ato contínuo na paternidade. Ou melhor, na vida cristã. E claro que isso não exclui nossa missão paterna.

Devemos ser cautelosos com aquilo que falamos. A Palavra de Deus revela que há poder em nossa fala: "A morte e a vida estão no *poder da língua*; quem bem a utiliza come do seu fruto" (Provérbios 18.21). O texto sagrado revela tanto o poder que a língua tem — para o bem ou para mal — como a responsabilidade e a consequência de se fazer bom uso dela. A expressão "quem bem a utiliza come do seu fruto" evidencia isto. O Novo Testamento também sustenta o uso responsável daquilo que falamos: "Que a palavra dita por vocês seja sempre agradável, temperada com sal, para que saibam como devem responder a cada um" (Colossenses 4.6).

O impacto das nossas palavras é mais abrangente do que a maioria considera. A fala afeta o corpo e alma: "Palavras agradáveis são como favo de mel: doces para a alma e remédio para o corpo" (Provérbios 16.24). Tiago, irmão do Senhor, ao destacar o poder da língua, acrescenta o aspecto *espiritual* a essa lista do dano das palavras.

Porque todos tropeçamos em muitas coisas. Se alguém não tropeça no falar, é um indivíduo perfeito, capaz de refrear também todo o corpo. Ora, se colocamos um freio na boca dos cavalos, para que nos obedeçam, também lhes dirigimos o corpo inteiro. Observem, igualmente, os navios que, sendo tão grandes e impelidos por fortes ventos, são dirigidos por um pequeníssimo leme, e levados para onde o piloto quer. *Assim, também a língua, pequeno órgão, se gaba de grandes coisas.* Vejam como uma fagulha incendeia uma grande floresta! Ora, a língua é um fogo; é um mundo de maldade. A língua está situada entre os membros do nosso corpo e *contamina o corpo* inteiro, e não só *põe em chamas toda a carreira da existência humana*, como também ela mesma é *posta em chamas pelo inferno*. (Tiago 3.2-6)

Não somente se diz que a língua "põe em chamas toda a carreira da existência humana", como também que ela "é posta em chamas pelo inferno". O mundo espiritual pode influenciar nossa fala e ela, por sua vez, pode afetar o aspecto espiritual da nossa vida. Tiago ainda afirma que a língua tem o poder de, à semelhança do freio na boca dos cavalos e do leme nas embarcações, dar direção e destino. Isso se aplica a nós individualmente e também aos outros, com quem convivemos. E aos pais, especialmente quando aqueles que por eles foram gerados ainda são crianças.

Hoje em dia se fala bastante sobre crenças limitadoras no ambiente dos *coachs*. A verdade é que isso não é novidade, a Bíblia trata desse assunto há muito tempo. Aqueles dez espias que difamaram a terra prometida se viam como gafanhotos (Números 13.33), enquanto Josué e Calebe, os únicos daquela geração que adentraram em Canaã, demonstravam fé extraordinária (Números 14.6-9). Embora qualquer adulto convertido, que não foi treinado nisso desde criança, possa entender e praticar a fé posteriormente, quanto mais cedo se entende e assimila essas verdades, melhor. Pais cristãos deveriam praticar uma linguagem de fé e conquistas para com seus filhos.

Devemos comunicar à próxima geração que eles podem ir mais longe, conquistar mais, realizar mais do que nós. Não porque sejam bons em si mesmos, mas porque servem ao Deus dos impossíveis e porque podem edificar a própria vida a partir de uma base, uma plataforma de entendimento bíblico e experiências com Deus que os pais já construíram.

Acreditamos ser relevante entender que uma forma correta de falar produz tanto fé quanto encorajamento. Um tem conotação espiritual e o outro pode ser visto como um complemento emocional à fé. Cabe aqui uma citação do assunto, extraído do livro do Luciano, *O Propósito da Família*:

> Lamentavelmente, alguns realmente acreditam que ninguém precisa de incentivo e encorajamento, mas não é isso que pensa o Criador, como mostram repetidamente as Escrituras. Observe, por exemplo, como o Senhor falou com Josué:
>
> "Ninguém poderá resistir a você todos os dias da sua vida. Assim como estive com Moisés, estarei com você. Não o deixarei, nem o abandonarei. Seja forte e corajoso, porque você fará este povo herdar a terra que, sob juramento, prometi dar aos pais deles. [...] Não foi isso que eu ordenei? Seja forte e corajoso! Não tenha medo, nem fique assustado, porque o Senhor, seu Deus, estará com você por onde quer que você andar" (Josué 1.5,6,9).

O que o Senhor estava dizendo a Josué era, basicamente: "Você pode, você consegue! Você não está sozinho para cumprir esta missão; eu estou com você e o capacito. Seja forte e se atreva a confiar que eu o usarei para levar este povo a desfrutar da promessa que esta nação aguarda há séculos". Que encorajamento!

Também deveríamos levar em conta que Deus trabalha a questão motivacional. É só olhar para as abundantes promessas de recompensas aos que o servem! Além de o Senhor nos encorajar ao trabalho, mostrando-nos que podemos cumprir aquilo que nos foi confiado, ele também nos motiva ao nos lembrar continuamente que haverá galardão, isto é, que ao final olharemos para trás e veremos que valeu a pena todo esforço e dedicação.

Se o Pai celeste demonstra em suas conversas e promessas que o ser humano precisa de encorajamento e motivação para realizar a sua obra, isso aponta não apenas uma característica divina a ser imitada (Efésios 5.1), mas também revela a necessidade do ser humano de receber encorajamento e motivação.

Nossas palavras curam e ferem, matam e dão vida (Provérbios 12.18). Por isso, não podemos usá-las de qualquer forma. O justo e o ímpio se distinguem em muitas coisas e, de acordo com a Palavra de Deus, não é apenas em caráter e atitudes, mas também na forma de falar (Provérbios 10.11). Da boca do justo jorra vida, enquanto dos lábios do ímpio fluem palavras que ferem. Por isso, precisamos sempre vigiar o que dizemos (Provérbios 13.2,3; 15.2,4,23; 17.27).[1]

---

[1] Subirá, Luciano. **O propósito da família**: a importância da visão familiar na relação com Deus. Curitiba: Orvalho.Com, 2020. p. 194-195.

É trágico constatar pais que servem a Deus e amaldiçoam seus filhos. Suas palavras, além de não encorajar, ainda produzem o efeito contrário: desanimam. Roubam a fé, ferem a esperança e tentam selar o destino dos filhos de modo inverso ao divino. Conhecemos tanta gente que cresceu ouvindo declarações como "você não presta", "não consegue", "nunca será ninguém", "nunca fará nada na vida". Até mesmo no contexto de pais evangélicos. Nunca fale assim com seus filhos! E, no caso de já ter feito, corra para corrigir esse erro. Retire o que disse, peça perdão e passe a falar corretamente.

Se Jacó, por um lado, falhou com José, preferindo-o em relação a seus irmãos (o que criou muita animosidade na família e depreciou os demais filhos) por outro lado, fez um grande depósito de confiança, segurança e senso de valor próprio dentro do rapaz. A falha do patriarca não foi ter feito isso com José; foi não ter feito com todos os filhos!

Noé abençoou uma parte da sua linhagem e amaldiçoou outra parte dela (Gênesis 9.20-27). Embora não possamos dizer que as palavras controlem, por si mesmas, o destino de alguém, não deveriam ser disponibilizadas a serviço do reino das trevas. Vimos que Tiago afirma que o inferno põe em chamas a língua. Por que o faria, senão por surtir efeito?

Sabemos que a maldição sem causa não se cumpre (Provérbios 26.2). Um exemplo disso é o caso da maldição que o sacerdote lançava sobre a mulher cujo marido suspeitava que ela tivesse sido infiel, embora não tivesse provas; se ela tivesse pecado seria afetada, caso contrário nada ocorreria (Números 5.11-30). Entretanto, ainda assim, a determinação bíblica sobre o cuidado com a fala é clara:

> Pois toda espécie de animais, de aves, de répteis e de seres marinhos se doma e tem sido domada pelo gênero humano, mas a língua ninguém é capaz de domar; é mal incontido, cheio de veneno mortal. Com ela, bendizemos o Senhor e Pai; também, com ela, amaldiçoamos as pessoas, criadas à semelhança de Deus. De uma só boca procede bênção e maldição. Meus irmãos, isso não deveria ser assim. Por acaso pode a fonte jorrar do mesmo lugar água doce e água amarga? Meus irmãos, será que a figueira pode produzir azeitonas ou a videira, figos? Assim, também, uma fonte de água salgada não pode dar água doce. (Tiago 3.7-12)

A ordem divina envolve a responsabilidade de que nunca amaldiçoemos ninguém. Contudo, não se limita a isso. Mais do que apenas se guardar de falar mal dos (ou contra) outros, devemos bendizer ou abençoar. Cristo determinou: "— Abençoem aqueles que os amaldiçoam" (Lucas 6.28). Ele não falou apenas de não se pagar o mal com o mal, pois que seria uma atitude passiva; Jesus incluiu a clara determinação de pagar o mal com o bem, isso é uma atitude ativa. Bendizer! Se isso vale para os que nos atacam, o que dizer dos filhos que amamos e por quem somos responsáveis por direcionar ao seu destino?

O ato de abençoar os filhos na hora em que saem de casa, depois de uma vida de palavras negativas, de maldição — que os fez descrer de seu potencial, duvidarem do seu chamado, questionarem seu valor e importância —, além de contraditório é contraproducente. Portanto, embora seja importante uma bênção formal, específica, no momento da projeção dos filhos, certifique-se de que esse cerimonial seja precedido e alinhado com uma vida de palavras edificantes, encorajadoras e afirmadoras.

* * *

PERGUNTAS PARA REFLEXÃO

1. Qual é o tipo de linguagem que você usa com seus filhos? Lembrando que abençoar é mais do que apenas encorajar; é impulsionar espiritualmente a vida deles...

2. Mesmo que você não tenha crescido sendo abençoado por seus pais, pode fazer com que as coisas sejam diferentes a partir de você para com seus filhos. Decida isso diante de Deus e determine-se a trilhar um caminho diferente.

3. O assunto das palavras que proferimos sobre os nossos filhos (do nascimento ao envio) é muito sério. Considere fazer uma avaliação com seu cônjuge sobre a maneira como cada um vê o que o outro tem praticado nesta área.

CONCLUSÃO
E AGORA, O QUE FAZER?

Finalizamos o livro, depois de ter apresentado os argumentos bíblicos da criação de filhos, mediante a alegoria das flechas, procurando responder à pergunta: "E agora? O que fazer com tudo o que foi ensinado?".

Aqui queremos dar ênfase a alguns aspectos importantes:

1. A importância de pôr a Palavra de Deus em prática;
2. A bênção de poder, mesmo depois de falhas e problemas, buscar tanto o perdão como a reconciliação.
3. A necessidade de se fazer ajustes e correções no exercício da paternidade;
4. A responsabilidade de pôr sua casa em ordem.

Cada um desses aspectos práticos merece atenção, por isso trataremos cada um deles em separado.

A PRÁTICA DA PALAVRA

Deus intencionou prover seu povo com a orientação prática da sua Palavra. É o que a própria Escritura revela: "Eu o instruirei e lhe ensinarei o caminho que você deve seguir; e, sob as minhas vistas, lhe darei conselho" (Salmos 32.8). E ainda: "Lâmpada para os meus pés é a tua palavra, ela é luz para os meus caminhos" (Salmos 119.105).

Contudo, de nada adianta receber a orientação divina e não a colocar em prática. Nosso Senhor dedicou parte dos seus ensinos em destacar a importância da prática da Palavra de Deus:

— Por que vocês me chamam "Senhor, Senhor!", e *não fazem o que eu mando*? Eu vou mostrar a vocês a quem é semelhante todo aquele que vem a mim, *ouve as minhas palavras e as pratica*. Esse é semelhante a um homem que, ao construir uma casa, cavou, abriu profunda vala e lançou o alicerce sobre a rocha. Quando veio a enchente, as águas bateram contra aquela casa e não a puderam abalar, por ter sido bem-construída. Mas *o que ouve e não pratica* é semelhante a um homem que construiu uma casa sobre a terra, sem alicerces, e, quando as águas bateram contra ela, logo desabou; e aconteceu que foi grande a ruína daquela casa. (Lucas 6.46-49)

A vida cristã foi comparada, pelo próprio Cristo, à edificação de uma casa. Ele também deixou claro que há dois tipos de edificadores. Ambos apresentam similaridades e distinções. Entre suas *similaridades* podemos apontar que ambos tinham a responsabilidade de edificar sua casa. Observe--se, ainda, que tanto um quanto outro encararam tempestades (uma figura de adversidade); o relato de Mateus usa exatamente as mesmas palavras para descrever o que os construtores enfrentaram: "Caiu a chuva, transbordaram os rios, sopraram os ventos e bateram com força contra aquela casa" (Mateus 7.25,27) Paulo, escrevendo aos coríntios e falando sobre o crescimento da vida cristã, usa a alegoria de um edifício e realça a responsabilidade de o edificador tomar cuidado com a maneira segundo a qual decide trabalhar: "Porém cada um veja *como* edifica" (1Coríntios 3.10).

Já quanto às distinções entre os construtores, atente-se para a forma em que cada um decidiu edificar e também os resultados, ou seja, as consequências dessas escolhas. Enquanto o primeiro foi chamado de *prudente*, por escolher edificar sobre a rocha (Mateus 7.24), o segundo foi denominado de *insensato*, por escolher construir sobre a areia, sem alicerces (Mateus 7.26). Embora tenham enfrentado as mesmas adversidades (a chuva, os rios transbordantes e a força dos ventos), os efeitos causados por elas foram bem distintos. O prudente viu o resultado da sua dedicação: "Quando veio a enchente, as águas bateram contra aquela casa e não a puderam abalar, *por ter sido bem-construída*" (Lucas 6.48). O Evangelho de Mateus também retrata a questão da causa e consequência: "ela não desabou, *porque tinha sido construída sobre a rocha*" (Mateus 7.25). Já o construtor insensato, por sua vez, teve um resultado completamente oposto; sobre sua casa diz-se que ela "logo desabou; e aconteceu que foi grande a ruína daquela casa" (Lucas 6.49). Mateus faz coro com Lucas e afirma: "ela desabou, sendo grande a sua ruína." (Mateus 7.27).

O aspecto pragmático desse ensino de Jesus repousa no fato de que ouvir suas palavras e praticá-las nos assemelha ao primeiro construtor, o prudente. Em contrapartida, ouvir as palavras de Cristo e não as praticar nos assemelha ao segundo edificador, o insensato. Ouvir e não praticar, além de desobediência, é a receita do fracasso na vida cristã. Somos chamados à prática da Palavra! Tiago, o irmão do Senhor (Gálatas 1.19), também deu ênfase ao assunto e apontou que a prática da Palavra é a receita do sucesso:

> Sejam praticantes da palavra e não somente ouvintes, enganando a vocês mesmos. Porque, se alguém é ouvinte da palavra e não praticante, assemelha-se àquele que contempla o seu rosto natural num espelho; pois contempla a si mesmo, se retira e logo esquece como era a sua aparência. Mas aquele que atenta bem para a lei perfeita, lei da liberdade, e nela persevera, não sendo ouvinte que logo se esquece, mas operoso praticante, esse será bem-aventurado no que realizar. (Tiago 1.22-25)

Ou seja, não adianta apenas saber o que é certo; é preciso pôr em prática os princípios bíblicos que conhecemos.

Muitas vezes erramos por falta de conhecimento. Deus afirmou: " 'O meu povo está sendo destruído, pois lhe falta o conhecimento' " (Oseias 4.6). Embora a ignorância não nos isente da conta a ser paga, deve-se diferenciar esse erro de uma deliberada rebelião aos preceitos divinos. A carta de Hebreus expõe a nossa limitação como pais quando atesta: "eles nos corrigiam [...] segundo melhor lhes parecia" (Hebreus 12.10). Muitas vezes os pais erram achando que estão acertando. O motivo? A falta de conhecimento dos padrões preestabelecidos pelo Criador para a educação dos filhos.

Entretanto, é inegável que também erramos por *negligência*, não apenas por ignorância. Nesse caso, não se trata de falta de conhecimento,

> 'e sim de aplicação prática daquilo que se conhece. Entretanto, apesar de nem sempre se tratar de deliberada desobediência, acabamos tropeçando por causa da negligência — que também é definida como pecado: "Portanto, aquele que sabe que deve fazer o bem e não o faz, nisso está pecando" (Tiago 4.17).

Cada um desses erros tem conserto. Ter chegado ao final deste livro já é um sinal de que você tem lutado contra a ignorância. Depois de confrontar o mensageiro que liderava a igreja de Éfeso pela perda do primeiro amor, o Senhor Jesus não sinalizou estar diante de um "caso perdido". Pelo contrário, ele estendeu uma oportunidade de restauração: "— Lembre-se, pois, de onde você caiu. Arrependa-se e volte à prática das primeiras obras" (Apocalipse 2.5). Se constatamos negligência ou desobediência, ao avaliar nossa conduta paterna, devemos seguir esse mesmo caminho proposto pelo Senhor da igreja.

AJUSTES E CORREÇÕES

E depois de acertar as coisas com Deus? O que fazer com os erros que, **como pais**, já cometemos? A instrução neotestamentária é clara: devemos deixar o passado para trás e avançar:

> Irmãos, quanto a mim, não julgo havê-lo alcançado, mas uma coisa faço: esquecendo-me das coisas que ficam para trás e avançando para as que estão diante de mim, prossigo para o alvo, para o prêmio da soberana vocação de Deus em Cristo Jesus.(Filipenses 3.13,14)

Vire a página. Não se martirize eternamente pelos erros cometidos, nem se deixe oprimir por um jugo de condenação. Arrependa-se, mude sua conduta, aprenda o que puder com essa lição e prossiga! Foque na possibilidade de fazer certo daqui para a frente. Isso não significa, contudo, que se deve fingir que nada aconteceu. Principalmente no que diz respeito às pessoas envolvidas. O fato de o Pai celestial ter perdoado você não significa que as pessoas com quem você errou também já tenham perdoado. Uma conversa honesta com os filhos, reconhecendo as limitações e a ignorância dos princípios bíblicos na época dos erros, seguida de um sincero pedido de perdão pode ajudar a restauração das emoções dos filhos. Além de servir de exemplo para o que eles também, em alguma medida, terão que futuramente fazer com seus próprios filhos.

Mas os erros não são apenas dos pais. Portanto, que cada pai entenda sua responsabilidade de corrigir seus filhos (mesmo quando não houver mais idade para a disciplina física) quando eles errarem. O silêncio significa cumplicidade; o ditado "Quem cala consente" também pode ser encontrado na Bíblia. Se um pai (ou marido) se calasse acerca do voto da filha (ou da esposa) eles seriam válidos e isso seria considerado consentimento

(Números 30.4,7). Lembremos que o sacerdote Eli foi julgado juntamente com seus filhos *pelos pecados deles*. A advertência bíblica sobre a cumplicidade deve ser levada a sério: "Não seja cúmplice dos pecados dos outros" (1Timóteo 5.22). Em Levítico 20.4, o Senhor fala de gente que fecha os olhos para o mal que o outro faz em vez de denunciar ou repreender; isso é cumplicidade. Paulo asseverou os cristãos de Éfeso: "E não sejam cúmplices nas obras infrutíferas das trevas; pelo contrário, tratem de reprová-las" (Efésios 5.11). Logo, não reprovar o erro de um filho é ser cúmplice com ele. Tal atitude, além de não ajudar o filho ainda tornará o pai (ou mãe) condenável.

Isso não significa atacar um filho, nem verbalmente nem fisicamente. A Escritura fala de seguir a verdade em amor (Efésios 4.15); a presença da verdade e da honestidade não significa ausência de amor. E depois da repreensão? Devemos acreditar e oferecer nova oportunidade ao filho assim como Deus faz conosco quando erramos. Uma boa conversa pode ajudar os filhos a entenderem melhor o erro e suas consequências e também o amor dos pais que os confrontarão para não perdê-los. Mais do que a conversa da hora da repreensão sugerimos uma checagem posterior de como está o coração.

PERDÃO E RECONCILIAÇÃO

Quando falhamos como pais, devemos reconhecer isso diante dos filhos, demonstrar arrependimento e pedir perdão a eles. Não importa se o erro remonta ao tempo de antes da conversão. O mesmo Deus que "não levou em conta os tempos da ignorância" também "ordena a todas as pessoas, em todos os lugares, que se arrependam" (Atos 17.30). O fato de ele não levar em conta os tempos da ignorância não significa que não haja necessidade de arrepender-se pelos pecados desse tempo.

E o que fazer com os erros dos filhos? Também é necessário que os pais se disponham a perdoar e procurar reconciliação. Não podemos nos esquecer de que há uma provisão divina de restauração e reconexão geracional: "— Ele converterá o coração dos pais aos seus filhos e o coração dos filhos aos seus pais [...]" (Malaquias 4.6).

A decepção costuma ser proporcional à expectativa. Talvez seja exatamente por isso que o ambiente familiar proporciona dores tão intensas e marcantes na vida de muitos. Davi nos ajuda a entender um pouco desse dilema:

> Porque não é um inimigo que me afronta; se o fosse, eu o suportaria; nem é o que me odeia quem se exalta contra mim, pois dele eu me esconderia; mas é você, homem meu igual, meu companheiro e meu íntimo amigo. Juntos nos entretínhamos e íamos com a multidão à Casa de Deus. (Salmos 55.12-14)

O salmista assevera que seria mais fácil lidar com afrontas e ódio de um inimigo ou estranho; ele teria facilidade em suportar ou esconder-se. Mas, quando se trata de alguém próximo, íntimo, a coisa muda de figura. Se hipoteticamente, você fosse surpreendido por um estranho, agindo feito doido, xingando-o de tudo quanto é nome feio, imagina-se que as reações seriam diversas, desde indignação até mesmo piedade. Contudo, dificilmente haveria decepção, pois essa só se dá onde existe expectativa e ninguém espera nenhum nível profundo de decência ou honra de um estranho. Em contrapartida, quando alguém próximo, íntimo, que amamos, faz ou fala algo "bem menor" do que o doido hipotético que mencionamos, isso tem poder de causar um estrago maior.

Por isso é tão importante permitir que Deus traga restauração através do perdão. Muitas pessoas têm sofrido com a falta de perdão. Pode até ser que o *culpado* na história também sofra, mas o sofrimento da *vítima* é ainda maior (e contínuo) se, da parte dela, não houver perdão; havendo ou não intenção de reconciliação do outro lado, a ordenança bíblica é perdoar.

Dizem que o ressentimento é o mesmo que você tomar diariamente um pouco de veneno, esperando que quem o magoou venha a morrer. A falta de perdão produz um dano maior em quem está ferido do que na pessoa que causou o ferimento! Alguns acham que o perdão é um benefício para o ofensor. Contudo, o benefício maior não é aquele concedido ao ofensor, mas sim o efeito que o perdão produz na vítima, na pessoa que foi ferida. Sem perdão, não há cura. A doença interior somente piora. A saúde espiritual, emocional e física do ressentido é seriamente afetada.

O perdão – ou a falta dele – faz muita diferença na nossa vida. A reconciliação *horizontal* determina se a *vertical*, que recebemos de Deus, permanecerá em nós ou não:

> — Porque, se perdoarem aos outros as ofensas deles, também o Pai de vocês, que está no céu, perdoará vocês; se, porém, não perdoarem aos

outros as ofensas deles, também o Pai de vocês não perdoará as ofensas de vocês. (Mateus 6.14,15)

Deus nos dá o seu perdão gratuitamente, sem que o mereçamos, e ele espera que tenhamos o mesmo espírito misericordioso com relação aos que nos ofendem. Se conservarmos o mesmo espírito perdoador, permaneceremos na reconciliação alcançada pelo Senhor Jesus. Contudo, se negarmos perdão, interromperemos o fluir da graça de Deus em nós. Ou seja, a reconciliação vertical é comprometida pela ausência da horizontal.

Para os que reconhecem que não há outra saída a não ser perdoar, mas que, por outro lado, sabem que não se trata de algo fácil na prática, queremos oferecer alguns conselhos, que serão de grande valia.

Primeiramente, perdão não é sentimento. Trata-se de uma decisão e também de uma atitude de fé. Já vimos que o perdão não é por merecimento. Logo, ninguém terá motivação emocional alguma para perdoar. Portanto, é certo dizer que o perdão não flui espontaneamente; ele deve ser gerado em nosso coração à medida em que levamos consideração aquilo que Deus fez por nós e seu mandamento que nos ordena perdoar. As consequências da falta de perdão também precisam ser lembradas, em temor, para fornecer mais munição à nossa razão do que às nossas emoções. É necessário ter fé para perdoar.

— Tenham cuidado. Se o seu irmão pecar, repreenda-o; se ele se arrepender, perdoe-lhe. Se pecar contra você sete vezes num dia e sete vezes vier para lhe dizer: "Estou arrependido", perdoe-lhe.

Então os apóstolos disseram ao Senhor:

— **Aumente-nos a fé**. (Lucas 17.3-5)

Naquele instante, os discípulos reconheceram que, para praticar esse nível de perdão, precisariam de mais fé. Aparentemente, Jesus concordou, pois nos versículos seguintes passou a ensinar-lhes que a fé é como uma semente. Quanto mais exercitamos (semeamos), tanto mais ela se multiplica (colhemos). É necessário crer que Deus é justo e que ele não pede mais do que podemos dar. Se Deus nos pediu, ele mesmo nos socorrerá, concedendo--nos graça para realmente perdoar.

Muitas vezes, o perdão precisa ser renovado. Depois de alguém ter sido perdoado, o Diabo, que não quer perder o domínio, tenta renovar a ferida. Em Provérbios 17.9, as Escrituras Sagradas falam sobre "encobrirmos a questão ou renová-la". É preciso tomar a decisão de "esquecer" — não alimentar mais — a mágoa e renovar somente o perdão. Cada vez que a dor tentar voltar, declare novamente o perdão! Ore abençoando seu ofensor! Lute contra a mágoa!

Algo especial que vejo em Jesus na cruz é sua atitude de ver os ofensores como vítimas: "Mas Jesus dizia: Pai, perdoa-lhes, porque não sabem o que fazem" (Lucas 23.34). Em vez de olhar para eles apenas como indivíduos que merecem punição e castigo, Jesus entende que eles *também* eram vítimas. Aqueles homens estavam em cegueira e ignorância espiritual, sob influência maligna, sem nenhum discernimento sobre quem de fato estavam matando. Eram vítimas da ignorância que os afastou de Deus e da revelação das Escrituras, apesar da inegável culpa. Ao reconhecê-los assim, Jesus teve compaixão deles e não alimentou dó de si mesmo, como muitos de nós faríamos.

Aplicar esse princípio ajuda o perdão a fluir mais livremente. E, no caso dos filhos, entender a limitação dos pais pode ser útil no processo. Quando alguém enxerga as misérias da vida espiritual de seu ofensor e canaliza o amor de Deus por ele, você descobre que perdoar fica mais fácil.

PONHA A CASA EM ORDEM

E como lidar com aquelas áreas de desordem? Simples: pondo ordem! Assim como o Altíssimo orientou Ezequias a pôr sua casa em ordem (2Reis 20.1), assim também devemos proceder com nossa casa. A Palavra de Deus nos chama a ordenar cada área da nossa vida. Aliás, Paulo afirma a Tito a causa pela qual o deixara em Creta: "para que *pusesse em ordem* as coisas restantes" (Tito 1.5). O apóstolo também exortou aos crentes de Tessalônica acerca da gravidade de se viver de forma desordenada:

> Irmãos, em nome do nosso Senhor Jesus Cristo, ordenamos a vocês que se afastem de todo irmão que vive de forma desordenada e não segundo a tradição que vocês receberam de nós. Porque vocês mesmos

sabem como devem nos imitar, visto que nunca vivemos de forma desordenada quando estivemos entre vocês. (2Tessalonicenses 3.6,7)

Talvez, para sermos mais práticos, os pais poderiam fazer uma lista daquelas áreas que, à luz do ensino bíblico apresentado neste livro, ainda não estão como deveriam. Isso pode ajudar não apenas no reconhecimento das áreas de erro, como também pode ser de grande valia ao estabelecer as propostas de correção e reconciliação, bem como as ações práticas necessárias para reverter o quadro.

Há situações que devem ser conversadas apenas entre os pais, buscando tanto a sabedoria do alto como também acordo nas ações a serem implementadas. Por exemplo, todas as vezes, ao longo dos anos, que percebíamos o nível de irritação dos nossos filhos aumentando, tínhamos aquilo como uma espécie de termômetro de que o nosso nível de humor, como pais, não estava como devia. Várias vezes, ao detectar isso, oramos, conversamos e procuramos definir com clareza o que faríamos. Sem esse tipo de avaliação nunca haverá ajustes ou aperfeiçoamento.

Para finalizar, lembramos o assunto tratado lá no início: Qual é a *maior alegria* dos pais? O apóstolo João afirmou: "Não tenho maior alegria do que esta, a de ouvir que os meus filhos vivem de acordo com a verdade" (3João 4). Mais importante do que formar bons cidadãos para a sociedade é preparar discípulos de Cristo que usufruirão a eternidade em sua presença. Embora um não precise necessariamente excluir o outro, que ninguém deixe de dar mais importância àquilo que é eterno (sem subtrair a importância do que é terreno).

Orem com regularidade pelos filhos. Busquem a sabedoria divina, disponível a todos que clamam por ela (Tiago 1.5) e a liderança do Espírito Santo (Romanos 8.14). Andem no trilho proposto pelas Escrituras e confiem em Deus. Sim, criar filhos também requer fé e confiança no Senhor e na manifestação de sua graça.

Tenham sempre em mente que "todos temos de comparecer diante do tribunal de Deus" (Romanos 14.10) e que "cada um de nós prestará contas de si mesmo diante de Deus" (Romanos 14.12), inclusive da tarefa paternal.

À medida que vocês crescem no entendimento e no exercício da paternidade, disponham-se a transbordar o que receberam aos menos experientes, aos que ainda necessitam de ajuda (Tito 2.3,4). Tudo o que recebemos de Deus deve ser compartilhado. Isso também envolve a instrução que você recebeu por meio deste livro; se você foi edificado, abençoado e enriquecido de alguma forma por meio deste recurso (ou de nossas videoaulas), divulgue a outros pais e futuros pais.

Que a graça do Senhor seja com você!

Esta obra foi composta em *Minion Pro*
e impressa por Gráfica Piffer Print sobre papel
Pólen Bold 70 g/m² para Editora Vida.